JN097762

イギリスの忘れられた子供の本

イギリスの忘れられた子供の本

鶴見良次

朝日出版社

目　次

目　次

目次

凡例

1. 第一次資料から語句や文、あるいは文章を引用する場合、字体および頭文字等の表記はできるだけ原文の通りとした。
2. 第一次資料から語句や文、あるいは文章を訳出して引用する場合、原文中で大文字のみで表記されている語、およびローマン体の原文においてイタリック体で、あるいはイタリック体の原文においてローマン体で強調されている語には、基本的に「」（書名には『』）を付した。頻出する頭文字による語の強調は、特に必要が認められる場合以外、明示していない。
3. 英単語には文脈によって適宜別の訳語を当てた。（例、'reading' ＝「読み方」「読書」「リーディング」、'child'/'children' ＝「子供（たち）」「児童」）。
4. 国の呼称については、慣用により「イングランド」と「連合王国」の双方を意味する「イギリス」の他、適宜「イングランド」「スコットランド」「ブリテン」「（イギリス）帝国」などを用いた。
5. キリスト教用語、教会用語の日本語訳は、おもにJ・R・H・ムアマン著、八代崇、中村茂、佐藤哲典訳『イギリス教会史』（聖公会出版、一九九一、原著はJohn. R. H. Moorman, *A History of the Church in England*, 3rd edn (London, 1973)）、大貫隆、名取四郎、宮本久雄、百瀬文晃編『岩波キリスト教辞典』（岩波書店、二〇〇二）による。
6. 引用した欧文文献のうち、既訳のあるものはその旨を注記してできるだけ使わせていただいた。それ以外のものはすべて拙訳である。

序　論

イギリス児童文学の「偉大な伝統」

本書は、「読者」としての子供の存在が認識され始めた一七世紀末から、一九世紀後半にいわゆる「児童文学」の成立期をむかえるまでの時期のイギリスの児童書を考察したものである。なかでも、現代の子供たちにはほとんど顧みられない本がおもな対象である。本書のタイトルが『イギリスの忘れられた子供の本』であることの所以である。

児童文学史家M・O・グレンビーは児童文学にもイギリス文学史で言われる「正典（キャノン）」による「偉大な伝統」が形成されてきたと言う(1)。大学の英文学科で児童文学の授業や研究が行われる際に必ず取りあげられる、いわゆる「名作」の歴史である。それに対し、本書が目指すのはそれとは異なるもう一つの「イギリス児童文学史」の試みである。すなわち、「名作」として今日まで知られているもの以外に、どのような本が、どのような時代に、どれほど、どのように読まれたかが問いとなる。

今日では忘れられている「名作」を取りあげる場合も「名作」であることを前提として扱うことはしていない。そのような名作とともに、当時は評判を取りながら、のちにまったく忘れられた無名の著者による本がいわば平等に前面に登場することとなる。本書の考察の対象として目次に並ぶ書名のほとんどが見慣れないものであるのはこれらの理由による。それらの忘れ去られた著者の、あるいはその名さえ示されていない文字通り無名の著者の本が、なぜ、当時は多くの子供や大人たちに好評をもって受け入れられたのか。その問いに答えることが本書の目的である。

イギリス帝国の子供の本

本書で扱う本が出版され広く子供たちに読まれた時期は、イギリス革命から産業革命へと続くイギリス近代の社会的な変革期であった。それとともにいわゆる「慈善学校運動」に象徴される子供の読み書き教育の興隆もあり、子供の読書体験は大きく変化した。(2)「読者としての子供」が登場し、さらに、幅広い社会階層の「子供という読者層」が形成された。すなわちそれは、子供の読書が社会化されてゆく過程であった。子供の本とその読書が共同体内の文化的事象としての枠を超えて社会全般の影響を受け、また逆に社会に影響を与えるようになったのである。

一方、その時期は、イギリスが「帝国」と呼ばれるようになる時代であった。イギリス帝国で暮らす子供を主題とし、読者とする本が見られるようになる。また帝国の勢力圏の広がりとともに児童書の販路はイングランドにとどまらず、ブリテン島諸地域を超えて世界へと広がった。帝国とその辺境は、読者である子供にとっても、また著者や版元にとっても、等しく大きな関心の対象であった。それは、作家や版元にとっては読者を惹きつける現代的な主題であり、もちろんそれ自体が大きな市場であった。一八、一九世紀転換期の奴隷制廃止運動の一環として児童書の執筆を行う作家にとっては、ぜひ子供たちに理解させたい現実的な主題でもあった。また、一六九八年に創設されたキリスト教知識普及協会（The Society for Promoting Christian Knowledge）をはじめ、いくつかの布教・出版組織によるトラクト（tract. 布教などに用いた宗教的な内容の小冊子）や書籍も、ブリテン島各地域をはじめ、植民地や勢力圏をはじめとする世界中に配給された。一八〇〇年前後には宗教的トラクト協会（The Religious Tract Society）、内外聖書協会（The British and Foreign Bible Society）、アメリカ聖書協会（The American Bible Society）などが発足し、世界中に英語の、あるいはヴァナキュラーな言語に翻訳した聖書などの配給を行った。

このような国内外の子供の本とその読書のさまざまな変化のなかで、次々と新しい体裁や内容の児童書が登場し、以前のものが見捨てられ、「忘れられた」のである。

忘れられた子供とその本

「忘れられた子供の本」(forgotten children's books) という言葉をタイトルに冠した書は、実はすでに存在する。早くも一九世紀末にアンドルー・W・テュアが『忘れられた子供の本のページと挿絵』(一八九八–九九)を出している。(図1) 一八世紀末から一八三〇年までのイギリスの児童書をオリジナルの挿絵入りで翻刻したアンソロジーである。今から百年以上前に、多くの子供の本がすでに「忘れられていた」のである。おそらくその頃までには、子供の読み物はそれ以前のものとは大いに様変わりをし、すでに今日私たちが考えるいわゆる「児童文学」が確立していたと言えよう。テュアは緒言で、同書中の物語の歴史や、その作者、挿絵画家、製版師等についての本格的な研究が期待されるとしている。アーノルド・アーノルドの『忘れられた子供の本の挿絵と物語』(一九六九)も同様のアンソロジーである。アーノルドは「児童文学」を「特に子供の娯楽のために書かれ印刷された本」と規定し、それは「一六五〇年まではまったく、その百年後にさえ、わずかな例外を除けばほとんど存在しなかった。しかしその種は蒔(ま)かれていたのである」と言う。(3) もちろんこれらの書に収められたもののいくつかについては本書でも論及した。

一方、児童史家リンダ・A・ポロックは『忘れられた子供たち――一五〇〇年から一九〇〇年までの親子関係』(一九八三)で、『〈子供〉の誕生――アンシァン・レジーム期の子供と家族生活』(一九六〇）におけるフィリップ・アリエスの学説を批判して、彼は「実際に子供がどのように認識されていたかの調査は怠って、現代人の考える子供期の認識が欠けていたという事実だけを記録している。子供期が認識されていたと思わせる証拠は存在する」と書いている。アリエスは中世および近代初期の資料を使いながら「子供」の現代的概念を求めようとし、それが見つからないがゆえに「子供期」の認識は中世には存在しなかったとしているとの批判である。(4) もちろん私にはヨーロッパの子供の社会史をめぐる論争とも言うべきものについての議論に加わる資格はない。ただしポロックの認識は、本書の主題である「児童文学」の歴史の認識にも当てはめることができよう。すなわち、「イギリスの忘れられた子供の本」である初期児童書が当時は愛読され、やがて否定的な評価を受け、忘れられた理由を、児童文学についての現代的概念からとらえることには警戒すべきであるとする認識である。

図1　アンドルー・W・テュア『忘れられた子供の本のページと挿絵』復刻版(1969) 扉

児童文学の現代的概念

「偉大な伝統」を形づくる児童文学の現代的概念とはいったいどのようなものなのか。それが確立されるための歴史的な認識の源はどこにあるのだろう。伝統的なイギリス児童文学史の言説の基本形は、AとBの二項対立に基づく「AからBへ」(from A to B)という格助詞句(前置詞句)による表現である。[5]

たとえば、メアリー・F・スウェイトのおそらくはイングランドで初めての学術的児童文学史の書名は『プライマーから読書の喜びへ——イングランドの子供の本の歴史入門』(一九六三)である。祈祷書付きの読み書き教本であるプライマーなどの時代から、啓蒙主義の時代、ロマン主義の時代を経て、ヴィクトリア朝、エドワード朝の児童文学の「満潮」(flood tide)へという流れをとらえている。要(かなめ)となる第三章のタイトルは「想像力の夜明け——『無垢の歌』から『グリムの妖精物語』へ」である。冒頭で著者は、「一八世紀が終わる前から、理性の支配に対する反動は始まっていた。ただし、それは子供の本においては大人の文学においてよりも遅れてやってきた。その最もはっきりとした予言と抵抗の声は孤高の天才であるウィリアム・ブレイクからあげられた。その抒情詩集『無垢の歌』(一七八九)は目立たなくも新しい時代の輝かしい日の出であった」と書いている。続けて、それはグリム童話の受容や、子供の想像力の擁護者たるウィリアム・ワーズワース、チャールズ・ラム等の言説を経て、ヴィクトリア朝における児童書の隆盛へ発展するとしている。比喩は明らかである。理性から想像力へ、教訓から娯楽へという転換期における新しい傾向の象徴として、たとえば本書でも取り上げる『ハバードおばさんとその犬の滑稽な冒険』（一八〇五）などのジョン・ハリス刊の愉快な絵本が言及されるのである。(6)

一九八〇年代は、イギリスの児童文学と子供の本の歴史の学術的研究の発展期であった。ハンフリー・カーペンターとマリ・プリチャードの『オックスフォード世界児童文学百科』が一九八四年に出て、この分野の研究の基礎が築かれた。それに先立って、同じオックスフォード大学出版局からパトリシア・デイマースとゴードン・モイルズの初期児童書のアンソロジー『教えから楽しみへ――一八五〇年までの児童文学のアンソロジー』（一九八二）（図2）が出版された。(7) 同書には、それまで児童文学史のなかで言及されることはあっても、実際にそのテキストが読まれることのほとんどなかったものを含む初期児童書の作品やその抜粋が集められている。すなわち、プライマーやピューリタン期の子供の読み物、伝承童謡集『マザー・グースの唄』（一七六〇年代）でも知られる娯楽のための児童書の先駆的な出版者ジョン・ニューベリーの本、セアラ・トリマーやハナ・モアらの福音主義児童小説、そして子供の本の「黄金時代の先駆者」たるブレイク、キャサリン・シンクレア等の作品など、今日の目で見てもきわめて妥当な選択によるものである。書名はスウェイトのものと同じ「AからBへ」の発想による。

こうして、イギリスの「児童文学」は、読み書きやピューリタンの教条を教え込む理性尊重の暗い子供の本の時代から、子供の読者層の形成とともに、一八、一九世紀転換期の児童書における想像力

図 2　『教えから楽しみへ』(1984) 表紙

重視の「夜明け」を経て、ヴィクトリア朝、エドワード朝の「黄金時代」を目指して「偉大な伝統」が形成され、「喜び」や「楽しみ」のための読書へと発展したとする歴史認識が確立した。これが、子供の想像力を育み、子供に読む楽しさを提供するものであるとする児童文学の現代的概念の起源となっているのである。[8] そのような発展的な歴史観に対し、それぞれの時代には、それぞれの読者のための、それぞれの書が執筆され、刊行され、読まれ、やがて廃れるべき固有の特殊事情があるという基本的な認識に立った時に見えてくる「忘れられた子供の本」それぞれの姿を明らかにしたい。

論述の方針

さて、本書の各章は、おおよそ扱う書の時代順に並べられている。それにより、子供の本やその読書が広く社会性を獲得していった過程の概略をたどることができよう。

初期児童書における主要なジャンルの一つに宗教的な内容のものがある。第一章で、子供に聖書を読ませることの是非についての一七世紀後半における議論と子供用聖書の誕生、そしてその国際的な流通について論じる。第二章ではピューリタンの後継者とも言うべきアイザック・ウォッツの子供の讃美歌集『聖なる歌』（一七一五）[9]を取りあげ、その表現や内容の近代性と、トラクトという民衆的な媒体によるイギリス帝国内およびその勢力圏での広範な伝播について考察する。

一八世紀の後半には徐々に子供という読者層が形成され、もっぱら娯楽のための児童書が出版されるようになる。おりしもそれは探検家ジェイムズ・クックの活躍した時代でもあった。第三章で取り上げるジョン・ニューベリー刊『靴二つさんの物語』（一七六五）は子供のために書かれた最初の「写実主義的小説」である。イギリス帝国とその辺境を舞台に、迷信と疑似科学、慈善行為と下層階級の人々の経済的な野心など、新旧の価値観が矛盾しながら共存する物語である。女の子向けの正編と男の子向けの続編によるジェンダー別の読者区分が見られることも興味深い。

第四章で考察するのはジョン・ハリス刊の『ハバードおばさんとその犬の滑稽な冒険』（一八〇五）[10]である。「学者動物」の大道芸に想を得た擬人化された滑稽な犬が活躍する絵入り冊子である。ナポレオン戦争時代の政治的なニュアンスを含む戯（ざ）れ唄として大衆的な評判をとるとともに童謡としても人気を博し、多くの類書が登場した。

第五、六章では、近代的な児童文学の成立について考えるうえで重要な命題である子供の本における「残酷」な要素の扱いについて考察する。おもにペローやグリムなどの大陸起源の民話や妖精物語の本を取りあげ、その再話と受容について論じる。それらの物語に含まれる「残酷性」を批判する挿絵画家ジョージ・クルックシャンクと、逆に「残酷な」場面を削除するなどの編集行為を糾弾する作家チャールズ・ディケンズとの間で始まり、芸術批評家ジョン・ラスキンや初期の民俗学者をも巻き込んで続けられた論争の顛末に、イギリス独自の「児童文学」と「民俗学」の成立事情を見る。

第七章では、やや視点を変えて、「子供の文学（子供についての文学）」（Literature of the child）の文豪ディケンズの『大いなる遺産』（一八六〇－六一）などの後期作品から、「堕落しかつ無垢」であるとされる矛盾に富んだイギリス帝国の時代の児童像を考察する。子供時代に読まされた「恐ろしい神学」を含む「忘れられた子供の本」が登場人物の人生に深い影響を与えているのである。第八章で取り上げるのは、今日では忘れられた挿絵画家ロバート・バーンズの児童書である。その仕事に見られるように、ヴィクトリア朝の児童像は、伝統的なキリスト教道徳と、帝国の広がりを背景として隆盛する新興中流階級の市民道徳を反映しつつ表象されている。

各章の論述で心がけたことは、考察の対象とした書の出版と流通の事情についてできるだけ詳しく紹介することである。どのような著者が、どのような動機でそれらの書を著し、どのような版元が刊行したか、そしてそれらはどのように流通し、子供やその親たちに消費され、批評家等から評価されたかといったことである。そうした記述のなかから、今日では忘れられた子供の本が、おのずからその時代の子供やその親たちを惹きつけた姿を現す。そのために、できる限り現物に触れ、それを紹介したい。詩には試訳とともに原文を示し、知られていない物語にはわかりやすいあらすじを付し、稀覯本からの図版を多数収めた。私が小書で試みるのは、今日では忘れられた子供の本を出版当時に戻し、その歴史的な焦点合わせを行うことである。それぞれの時代の子供の本の著者の、出版者の、批評家の、そして何より読者たる子供の身になって、それらの本を手にすることである。

注

（1）M. O. Grendy, General Introduction to *Popular Children's Literature in Britain*, ed. by Julia Briggs, Dennis Butts, and M. O. Grenby (Aldershot, 2008), pp. 1–20 (p. 13) を参照。英文学研究における「正典（キャノン）」と「偉大な伝統」の考え方については Robert Eaglestone, *Doing English: A Guide for Literature Students*, 2nd edn (London, 2002), chap. 5（ロバート・イーグルストン『「英文学」とは何か――新しい構築のために』川口喬一訳、研究社、二〇〇三、第五章）を見よ。

（2）この時期の読み書き教育については拙著『イギリス近代の英語教科書』（開拓社、二〇一二）を見よ。

（3）Andrew W. Tuer, *Pages and Pictures from Forgotten Children's Books* (London, 1898–99; repr. Detroit, 1969), pp. 9–10; Arnold Arnold, *Pictures and Stories from Forgotten* Children' Books (New York, 1969), p. 1 を参照。Tuer には前掲書の続編 *Stories from Old-Fashioned Children's Books* (London, 1899–1900; repr. New York, 1969) がある。

（4）Philippe Ariès, *L'Enfant et la Vie Familiale sous l'Ancien Régime* (Paris, 1960)（フィリップ・アリエス『〈子供〉の誕生――アンシァン・レジーム期の子供と家族生活』杉山光信、杉山恵美子訳、みすず書房、一九八〇)。Linda A. Pollock, *Forgotten Children: Parent-Child Relations from 1500 to 1900* (Cambridge, 1983), p. 55(リンダ・A・ポロク『忘れられた子どもたち――1500―1900年の親子関係』中地克子訳、勁草書房、一九八八、七一頁。ご高訳の「子ども」の表記は引用中では本文との統一のために「子供」に代えさせていただいた。)を参照。ポロックはAdrian Wilsonの説を援用している。

(5) 児童文学史の言説における'dichotomy'あるいは'Manichaeanism'については、William McCarthy, 'Mother of All Discourses: Anna Barbauld's *Lessons for Children*', *The Princeton University Library Chronicle*, 60-2 (1999), 196–219, (pp. 198–99) (republished in *Culturing the Child 1690-1914: Essays in Memory of Mitzi Myers*, ed. by Donelle Ruwe (Lanham, Maryland, 2005), pp. 85-111) でも指摘されている。

(6) Mary F. Thwaite, *From Primer to Pleasure in Reading: An Introduction to the History of Children's Books in England from the Invention of Printing to 1914 with an Outline of Some Developments in Other Countries* (London, 1963; repr. Boston,1972), pp. 81-92を参照。

(7) Humphrey Carpenter and Mari Prichard, *The Oxford Companion to Children's Literature* (Oxford, 1984); 2nd edn, rev. by Daniel Hahn (Oxford, 2015)(ハンフリー・カーペンター、マリ・プリチャード『オックスフォード世界児童文学百科』神宮輝夫監訳、原書房、一九九九、新版 ダニエル・ハーン編著、白井澄子、西村醇子、水間千恵監訳、原書房、二〇二三)、*From Instruction to Delight: An Anthology of Children's Literature to 1850*, ed. by Patricia Demers and Gordon Moyles (Toronto, 1982).

(8) 子供の本の「黄金時代」(the Golden Age) という表現はRoger Lancelyn Green, 'The Golden Age of Children's Books', *Essays and Studies*, n.s., 15 (1962), 59-73. (republished in *Only Connect: Readings on Children's Literature*, ed. by Sheila Egoff, G. T. Stubbs and L. F. Ashley (Toronto, 1980), pp. 1-16(S・イーゴフ、G・T・スタブス、L・F・アシュレイ編『オンリー・コネクト――児童文学評論選』猪熊葉子、清水真砂子、渡辺茂男訳、I、岩波書店、一九七八、二一―二九頁))に見られた。一八世紀から一九世紀前

半にかけての児童書購買者の社会階層とその変化については、M. O. Grenby, *The Child Reader 1700–1840* (Cambridge, 2011), pp. 70–85を参照。

（9） I. Watts, *Divine Songs Attempted in Easy Language for the Use of Children* (London, 1715).

（10） S[arah] C[atherine] M[artin], *The Comic Adventures of Old Mother Hubbard and her Dog* (London, 1805).

第一章　子供用の聖書の誕生

——ジャン・フレデリック・オステルヴァルド『簡約聖書物語』（［一七一二年あるいはそれ以前］）他

子供用の聖書

一七世紀末は、貧しい子供たちのための学校建設の必要が認識され、イングランド国教会系の教育普及組織であるキリスト教知識普及協会（The Society for Promotimg Christian Knowledge. 以下、ＳＰＣＫと略記）の創設もあり、実際に学校が盛んに建設されるようになるまでの、いわば直前の期間にあたる。実はこの時期は、子供用の聖書が精力的に出版されるようになった時期であり、また子供のための普遍的な読み物としての聖書と、その読ませ方についての関心が高まりを見せた時代でもあった。ジョン・ロックをはじめ、多くの教育論者が子供に聖書を読ませることの是非や、読ませる場合の配慮などについて議論した。大手の出版社に加え、ＳＰＣＫや内外聖書協会（The British and Foreign Bible Society）などの布教組織も子供向けの小さな聖書の出版と配給を積極的に進めた。本章では、この時期に出版された初期の代表的な子供用聖書を取りあげてその内容を検討し、子供にふさわしい聖書とはどのようなものであると考えられたか、またそれらが実際に家庭や学校でどのように読まれたかを考察する。(1)

子供に聖書を読ませることの是非

聖書を素材とした子供向けの読み物は、一七世紀には教理問答書（キリスト教の教義を平易な問答形式で説いた冊子）をはじめ、物語のあらすじの冊子、綴字法やリーディング教科書中のテキストとしてなど、さまざまな形で見られた。世紀末になると、「ファミリー・バイブル」と呼ばれるおもに中流以上の家庭向けに編集された聖書物語集が人気を呼んだ。ロンドンの出版者リチャード・ブロムによって出された挿絵入り大判（Folio）の旧約聖書物語の二巻本（一六八八、九〇）はその先駆けである。大幅な編集が行われ、道徳的教えを強調したそれらの聖書物語集は、子供向けの聖書にも大きな影響を与えた。イギリスで最初に出された本格的な子供用聖書物語と言えるものは一六九〇年に刊行された『創世記物語』である。これは、ニコラ・フォンテーヌのフランスで最初の児童聖書物語集（一六七〇）から創世記の部分を忠実に英訳したものであった。同じ時期に、娯楽のための児童書の先駆的な著者で出版者のナサニエル・クラウチが韻文の『素晴らしい四〇の聖書物語』（一六九一年）を出し、さらにその続編を一七二〇年に出した。旧約・新約聖書のすべての主要な物語を子供向けに語り直した最初のものは、後節で詳しく紹介するジヨゼフ・ハザード刊の『簡約 旧約・新約聖書物語』（一七二六）であった。一二〇の美しい銅版挿絵入りで人気を得て、刊行後一六年間に少なくとも四回増刷され、一七五〇年頃まで、他の版元からも出された。[2]

一七世紀後半には多くの教育者や聖職者が、聖書が子供に与える感動の重要性を指摘している。たとえばロンドンのロースベリー・ガーデン文法学校教師チャールズ・フールは『学校教育方法論』（一六六〇）の初等教育に関する部分で、子供が読み方の入門を果たし、初歩的なリーディングのテキストがいくらか読めるようになったなら、聖書のなかでも創世記など子供たちが喜びそうな部分を読ませることを勧めている。後にチチェスターおよびイーリーの主教を務めることとなるサイモン・パトリックは、一六八〇年に出版した教育論のなかで、子供たちが旧約聖書を楽しんで読んでいるとして、旧約聖書の物語はキリスト教精神の基本を伝えるのに最適のものであると論じた。また同時期にリチャード・ルーカスはしつけ指南書の中で、親が子供のために聖書のうちの難しい教条的な部分は避け、「わかりやすく、役に立つ章を」、また難しいところは避け「感動的で、心に訴えかける」部分を選んで読ませるようにと書いている。[3]

哲学者で教育論者としても知られるジョン・ロックも、こうした子供の読み物としての聖書の流行のなかで、子供に聖書を読ませる際の適切な方法についてのはっきりとした考え方を示した一人である。ロックはブロムの旧約聖書物語や『創世記物語』を念頭において論じていると推察される。[4]『教育に関する考察』（一六九三）の第二〇章「学習と勉学について」で、聖書をやみくもにそのまま章を追って子供に読ませることの愚について論じ、次のように述べた。

聖書に関して言えば、それは子供たちが読み方の練習をし、その才能をみがくのに通例用いられるものですが、並んでいる章を追って無茶苦茶にそれを読むことは、子供たちの読み方を完成するにも、宗教の根本信念をたてる上にも、子供たちになんの利益になるものでもありませんので、それ以上悪いものは多分見つからないと思われます。というのは、子供がまったく理解できぬ本のいろいろな部分の読み方を練習しても、それが子供にとって、なんの喜びになり、なんの励ましになり得るでしょうか。また旧約聖書のモーセの律法、ソロモンの歌、預言書、また新約聖書の使徒書簡とヨハネ黙示録は、子供の能力になんと適しないものでしょうか、また四福音書と使徒行伝には少しはやさしい処がありますが、しかし全体から見れば幼年時代の理解力には、はなはだ不釣り合いです。(5)

さらにロックは、「聖書には、子供に読ませるために与えるのが至当な部分がある」として、「ヨセフとその兄弟たちの物語、ダビデとゴリアテの物語、ダビデとヨナタンの物語など」を挙げ、「平明な道徳律は、適切に択べば、読み方と教訓の双方にしばしば利用でき」ると言う。(6) ロックも聖書の教材としての妥当性は認めている。ただし、聖書を宗教やリーディングの教材として用いる際には、そのための適切な指導法が必要であるとしているのである。

さて、ページ数も多く重たい書物である正規の聖書は、子供にとっては扱いづらいものであった。教会での礼拝に参加する際の必要から、祈祷書や讃美歌集と合冊になっている場合はなおさらであった。そのため、ＳＰＣＫは聖書物語をダイジェストしたものなどの学校用小冊子を数多く配給した。学校経営者の多くはＳＰＣＫのメンバーであったため、これらの書を原価で購入することができた。[7]一七一二年のＳＰＣＫの慈善学校用図書目録[8]には、生徒用に縮約して編集した教理問答書、祈祷書、讃美歌集などとともにジャン・フレデリック・オステルヴァルド『簡約聖書物語』（一七一二年あるいはそれ以前[9]）が見られる。非国教系の学校でも独自に編集したものを版元で刷らせて用いた。これらの縮約版の聖書物語では、語彙や文体が、読み方を学び始めて間もない幼い子供にも理解しやすいものに改められるとともに、多くの場合宗教的教訓が強調されている。次節では、それらの子供向けの聖書物語集について論じる。

ジャン・フレデリック・オステルヴァルド『簡約聖書物語』

オステルヴァルドの『簡約聖書物語』はＳＰＣＫが発足後早い段階で慈善学校用図書の目録に載せた聖書物語集である。（図３）著者はスイスの改革派牧師である。チューリッヒ大聖堂の助祭であったオステルヴァルドはＳＰＣＫとスイス教会との接点となっていた。同協会の海外通信員であり、ＳＰＣＫに倣って、地元ヌーシャテルの児童教育の振興に努めた。草創期のＳＰＣＫは大陸のプロテスタント教会との関係に強い関心を持っていた。イングランド国教会こそプロテスタントの盟主であるとする認識のもとに、教会の統一が議論された。スイス教会もイングランド国教会を「宗教改革の堡塁で

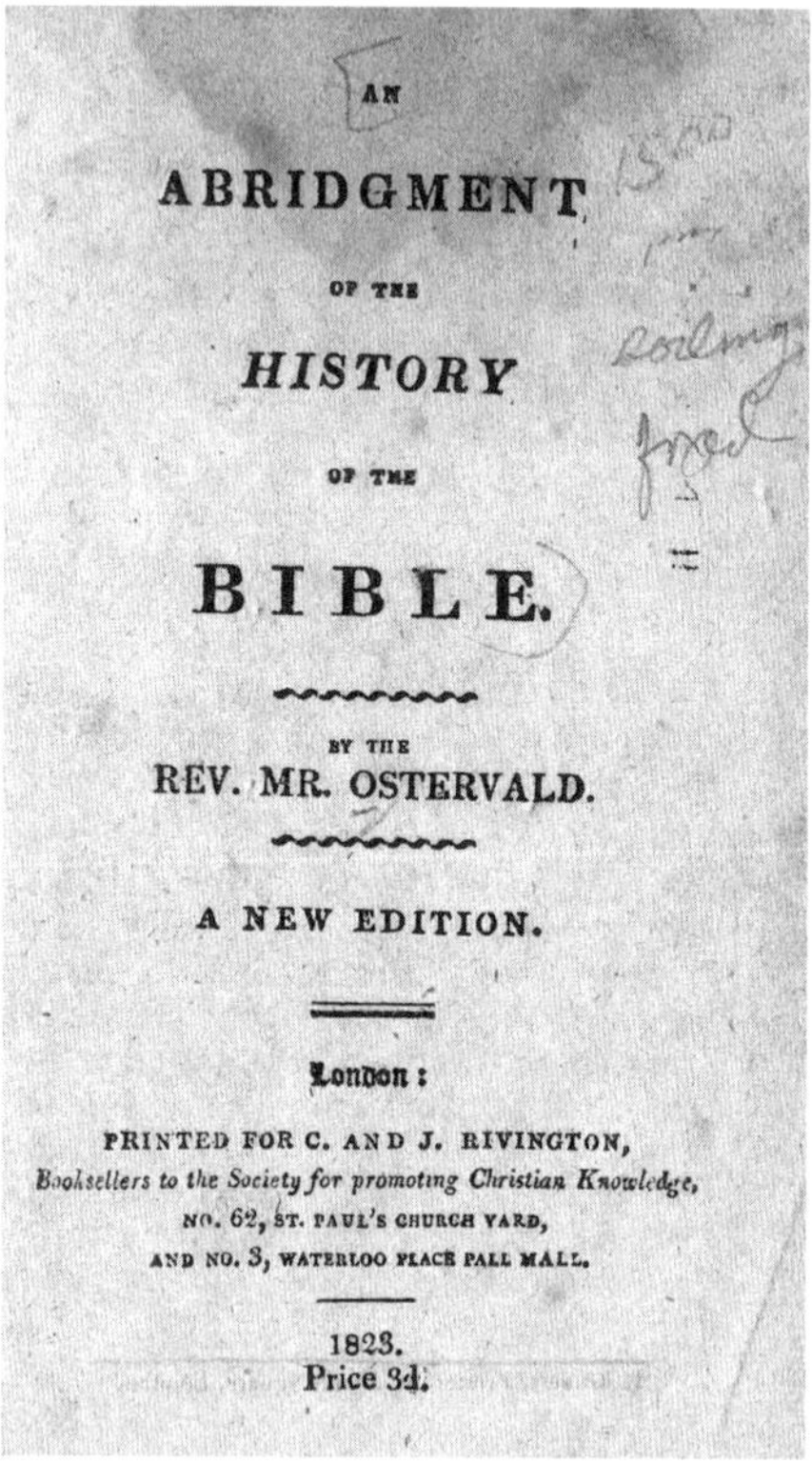

ある」と認めていた[10]。同国内外のフランス語地域の子供たちはこのオステルヴァルドのフランス語教理問答によって聖書入門を果たした。一八世紀半ばになると問答形式ではなく物語形式に改められた版が流布するようになり、同時に各国で翻訳されるようになった[11]。SPCKのものはその英語版である。

架蔵の後の版を見ても、九章二三ページに刊行目録一ページを加えた縦一六、横九センチメートルの小冊子であり、最も小さく安価な聖書物語の一つである。各章では、それぞれ、天地創造から大洪水まで、アブラハム契約、エジプトへの逃避、ソロモンの神殿、バビロニア捕囚、キリスト誕生まで、

図3　ジャン・フレデリック・オステルヴァルド『簡約聖書物語』新版(1823) 扉

キリストの誕生・死・復活・昇天、使徒の教えとキリスト教の確立、簡約キリスト教理が語られる。第一章の第一パラグラフは以下のようである。出典を示す二つの注が見られる。試訳を示す。

世界は（a）イエス・キリスト誕生のおよそ四千年前に創造された。六日間で「神」はそのすべてのものをお造りになった。第六の日には「アダム」を造られた。最初の人である。神はご自身に似せて彼を造り、彼に他の生き物を支配する力をお与えになった。「アダム」は創造されると（b）、地上の楽園、またの名を「エデン」の園に、彼のあばら骨から造られた妻「イヴ」とともに置かれた。無垢のまま、神から与えられた法を守って生きていたなら、彼らはその地で幸せに暮らしたであろう。

（a）創一　（b）創二　（三－四頁）

このあと、楽園追放から大洪水の到来までが物語られる。この書き出しを見るだけでも、現代にいたるまで、キリスト教徒の子供たちが最初に読み、暗記する聖書の物語の原型がこうしたテキストにあったことがわかる。

旧約・新約聖書を二十数ページにダイジェストするというはなれ技は、物語の顛末とプロットのはっきりした各章の展開によって可能となっている。概して単純な構文である。文が長い場合も、決して複雑なものではない。句読法も十分に練られており、幼い読者の理解の助けとなっている。教理問答から散文物語に書き改められたという来歴が示すように、文体は簡潔でわかりやすく、暗唱に適しているのである。プロットの単純化は、子供たちに道徳的教訓を端的に示す効果を持つ。たとえば、先の引用末尾のアダムとイヴが「無垢のまま、神から与えられた法を守って生きていたなら、彼らはその地で幸せに暮らしたであろう」(And they would have lived happy in that Place, if they had continued in their Innocence, and kept the Law that God had given them.)(四頁)という文や、あとの行の「地上は罪に満ち、堕落があまりにもひどくなり広まったため、神は大洪水を起こした」(The Earth was filled with Crimes, and the Corruption grew so great and general, that God sent the Flood...)(五頁)といった部分の、仮定法や副詞節を導く相関接続詞を用いた単純な因果律とも言うべきものによって、子供は道徳を植え付けられる。巻末には「こうしたキリスト教の教えを常に守り、愛し、それに従って行動し、神を敬って生きること」が「私たちの務め」(二三頁)であるとする子供への教訓が半ページ分付されている。

このような小さな冊子体の聖書物語は数多く出版され、読まれた。聖書物語のうちの、最も初歩的なものがオステルヴァルドのものの流れを汲んだものである。ブリティッシュ・ライブラリー所蔵の『簡約聖書物語』の英語版の最も古いものはジョゼフ・ダウニング刊の一七一五年版であり、最も新しいものは一八五四年頃の版(版元不詳)である。アメリカ聖書協会(The American Bible Society)、イギリスの内外聖書協会刊のフランス語版(それぞれ一八五四、一八六一)の他、SPCKのカナダ先住民語版([一八八五?])などもある。[12] SPCKが当初から計画していた植民地をはじめとする海外各地域での布教活動を目的に一七〇一年に海外福音宣教協会(The Society for the Propagation of the Gospel in

Foreign Parts）が設立された。同協会のカナダへの積極的な進出は創設の直後にニューファンドランドから開始された[13]。一八六八年にはイギリス北アメリカ法（British North America Act）が制定され、ノヴァ・スコシア、ニュー・ブランズウィック、ケベック、オンタリオが連邦議会を持つカナダ自治領となった[14]。イギリス帝国最初の自治領である。『簡約聖書物語』はイギリスの諸布教組織が、イングランド国教会の勢力圏をヨーロッパおよび新大陸各地域に広げるために用いた最も小さな聖書である。

ジョゼフ・ハザード刊『簡約 旧約・新約聖書物語』（一七二六）と著者不詳『子供の聖書』（一七六三）

すでに言及したように、イギリスで初めてすべての聖書中の物語を子供向けに書き直したものがジョゼフ・ハザード刊『簡約 旧約・新約聖書物語』（図４）である。序言には、高価なブロムの版などと違い値段も両親の負担にならないものであり、豊富な銅版挿絵が添えられており、学校での使用に、またあまり教育を受けていない者や子供にふさわしいものであると宣伝されている。同書は学校でよりもむしろ家庭で多く読まれたものと思われる。

縦一五、横八センチメートルの一ページに縦に二つの章が収められ、対面ページにそれぞれの挿絵が各一枚ずつ配されている。挿絵も縦に二枚並べられており、絵の上下に聖書の出典が示されている。第一章「天地創造」は次のように語られる。

The HISTORY *of the* BIBLE.

VII.

The Waters *dried up.*

IT was for the Space of Seven Months from the Beginning of the Flood, that the Earth remain'd overwhelm'd, when the Lord caused a great Wind to pass over it, which abated the Waters so much, that the Ark rested upon the Mountains of *Ararat*. Four Months after which, *Noah* sent forth first a Raven, which did not return, and after that a Dove, which finding no Resting place, returned to him; but Seven Days after that, he sent forth the same Dove, which returned to him with a green Olive-branch in its Mouth, pluck'd off of a Tree; by which *Noah* observ'd that the Waters were abated. Afterwards, they being wholly dried up, the Lord permitted *Noah*, who had continued in the Ark for a whole Year, to depart from it, together with all his Family, and the living Creatures of all Kinds, that had been preserved therein.

VIII.

GOD's *Covenant with* NOAH.

NOAH, to shew his Thankfulness to the Lord, for his distinguishing Mercy and Goodness to him, as soon as he came forth of the Ark, built an Altar, and offer'd upon it an Offering of every clean Beast and every clean Fowl; which the Almighty was pleased to accept graciously, and made an eternal Covenant with him and his Children, and establish'd as a Token thereof, the Rainbow, to signify that he would never more destroy the World by a Deluge, and commanded them to increase and multiply, and to replenish and possess the Earth.

図 4　『簡約 旧約・新約聖書物語』第 3 版(1735) 第 7, 8 章

神は見分けがつかず形の定かでない「混沌」から天と地と海を創造された。魚、空の鳥、家畜、地を這うものすべてをお造りになり、最後に、それらの支配者となる「人」を、「地の塵から」お造りになり、（そして）「鼻に命の息を吹き込まれた」。そして、人は伴侶、「ふさわしい助け」なしでは良くないと、彼を深い眠りに落とし、（そして）そのあばら骨から女を造り、（そして）彼に遣わした。彼は彼女を「自分の骨の骨」、「肉の肉」として受け取り、（そして）彼女を「女」と呼

んで男との関係を示した。

創世記第一章をまとめた部分である。オステルヴァルドの版よりやや長めである。従属節を用いずに、「そして」(and) でつないでゆく旧約聖書本来の単純で素朴な構文の特徴を残している。[15] また聖書の細部をより意識して書かれている。オステルヴァルドのものと同様に因果律は子供向けに明快である。エデンの園の知恵の実の件(くだり)は「人が造り主に従順であるか、またお導きのありがたさをわかっているかを試すものであった」と説明されている。表現は必ずしも複雑ではないが、イヴの誕生についての論理的な説明などに、「(そして) 彼女を「女」と呼んで男との関係を示した。」('... and called her *Woman*, to signify her Relation to him.') のような、やや抽象性の高い表現を含んでいる。用られている語のなかには生徒の語彙を越えると思われるものも見られる。聖書中の語や表現をイタリック体にするのに対し、おもに物語の展開を理解するうえで注意すべき一般的な名詞、および子供にとっての難語が頭文字付きの表記となっている。聖書の記述そのものをもとところどころに引用しながら、全体を過不足なく縮めた代表的な子供用聖書物語である。

匿名の「イングランド国教会の神学者」によって著された『子供の聖書』(一七六三)[16] (図5) も、『簡約 旧約・新約聖書物語』に倣って、できるだけ多くの物語を子供たちに読ませることを目的としている。長い副題には同書の特徴が次のように示されている。「旧約・新約聖書の物語をこれまでにない方法で提示。いきいきとした印象的な要約によって幼い読者の未熟な能力に合わせて短縮。神のも

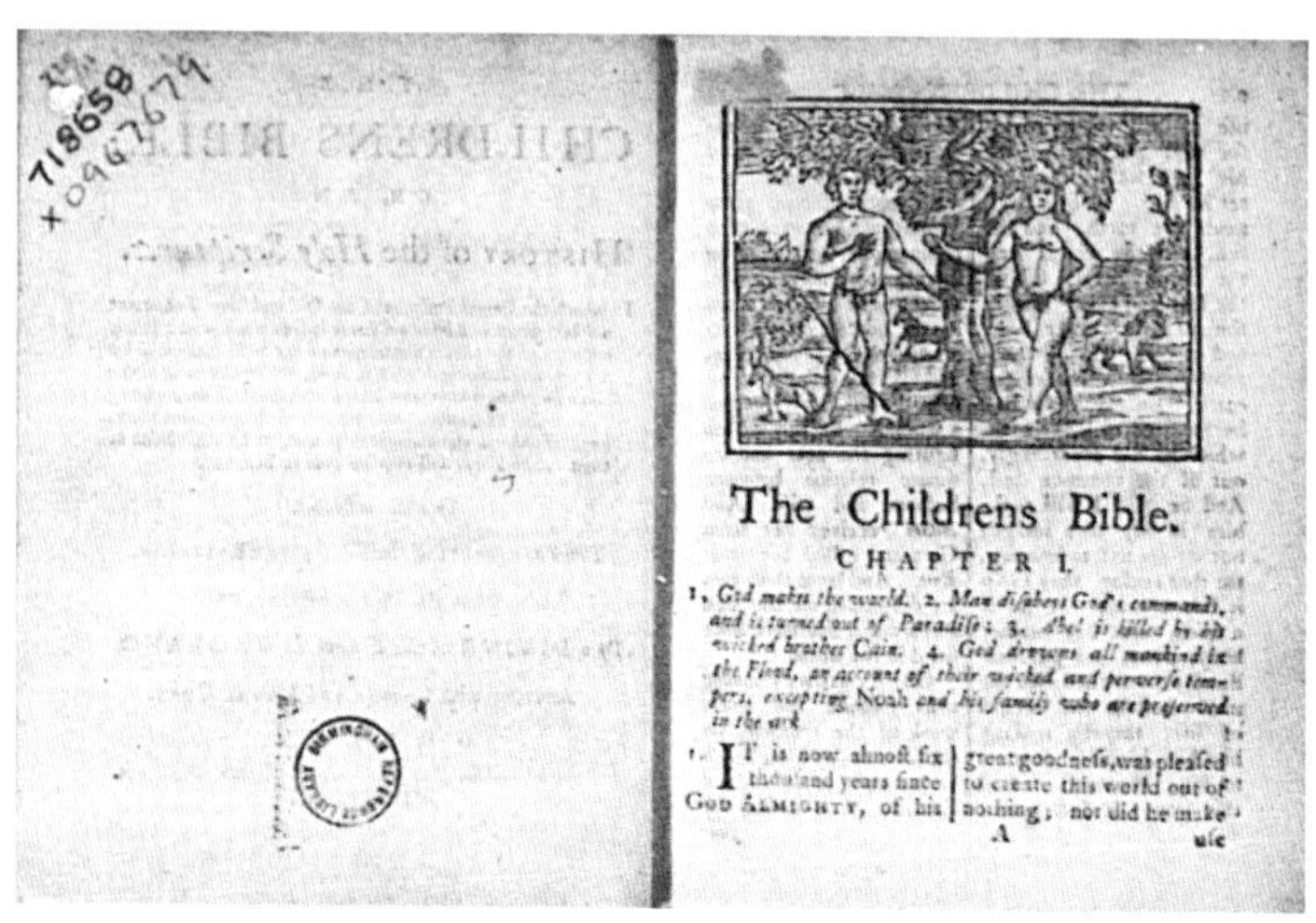

The Childrens Bible.

CHAPTER I.

1. *God makes the world.* 2. *Man disobeys God's commands, and is turned out of Paradise;* 3. *Abel is killed by his wicked brother Cain.* 4. *God drowns all mankind in the Flood, an account of their wicked and perverse tempers, excepting Noah and his family who are preserved in the ark.*

1. IT is now almost six thousand years since GOD ALMIGHTY, of his great goodness, was pleased to create this world out of nothing; nor did he make use

A

図5　『子供の聖書』(1763) 第1章

と、聖書が子供の心と記憶にしっかり根付き、将来何があろうとも消え去ることのない道徳的および宗教的な美徳の感銘を残す。」旧約・新約聖書のそれぞれの節を「幼い読者の未熟な能力に合わせて」縮めたという文言からは、同書が、聖書の内容を理解する力とリーディング能力とが並行して高まってゆくという考え方に基づいて編集されていることがわかる。この時期の聖書物語は、聖書の理解のための教材としてだけではなく、段階的に発達してゆくリーディング力を養うための教材として意識されている。

全一九〇ページのうち、一一五ページまでが旧約聖書の物語、真ん中に教理問答と聖書讃歌一篇をはさんで、一二九ページ以降が新約聖書の物語である。エデンの園の知恵の木を背景に立つアダムとイヴを描いた、素朴だが十分に魅力的な木版画を伴った旧約聖書の冒頭は、「全能の神様がその偉大にして寛きお心にて、無よりこの世をお造りになって、六千年ほどがたちました。神様はこの世をお造りになるに際し、そのお言葉以外のいかなる力もお使いになりませんでした」（一一二頁）である。言わば妖精物語的な語り出しになっている。語彙および文体は初級リーディングのレベルと言ってよい。第一章では大洪水の終わりまでが語られる。末尾の一節は、「こうしてノアは家族とともに箱舟を出て、神様に感謝し、それを称えました。鳥たち、獣たちもみなノアとともに外に出ました。」（六―七頁）である。プロットや描写は簡略化され、物語の骨子がやさしい語彙と簡明な展開で示されている。副題に述べられている「生き生きとした印象的な要約」とは、まさしくこうした妖精物語的な語りによるものである。最終章（二三章）ダニエルの物語の末尾は次のようである。

王は彼をライオンの洞窟に投げ込み、そこで彼は一晩を過ごしました。「ダレイオス王」は内心穏やかではありませんでした。翌朝王は洞窟へ行き、そこに奇跡的にも生きている彼を見出しました。王は「ダニエル」の栄誉を称えました。彼は「キュロス大王」の治世までも長く王国の先導者として生きました。（一一五頁）

この部分は、ダニエル書の六章一六節から二八節までを数行にまとめたものである。訳では五つの文に分けたが、長い原文では関係詞節や句読法によって語りの流れが作られており、物語の末尾として一気に読ませる工夫がなされている。新約聖書の部は全一五章であり、キリストの生誕から、奇跡、ユダの裏切り、死、復活、そして各聖人の行いが、各章ごとに筋の展開中心に語られている。

イギリス帝国の子供の聖書

たとえばオステルヴァルドの『簡約聖書物語』が一八、一九世紀を通じてイギリス内外で大量に流布したことはすでに述べた。販売部数の多さはすなわち多くの読者を得たことの証となるが、それは同書が多くの子供の読者によって選ばれ愛読されたことを必ずしも意味しない。宗教的な書は、読み書きなどの教育書とともに、一般に親や教師、あるいは教会区の牧師などの大人によって購入され子供に与えられるからである。(17)

とは言え、読み方を学ぶ慈善学校の生徒やその他の子供のために刊行された多くの聖書物語には、子供の読者への多くの配慮がなされている。多くはやさしい語彙と音読しやすい簡潔な文体が用いられている。また妖精物語にも似た明快な映像を伴ったわかりやすい筋立ての、教訓のはっきりした読み物にするための編集の工夫が認められる。それらによって幼い子供たちに旧約・新約聖書の教条的な内容を理解させ、記憶させることを目指した。聖書物語は内容的には明らかにイングランド国教会の教義に基づく宗教・道徳の訓育を目的とした読み物である。しかしそれと同時に、子供に読み方の実践的な練習をさせながら、物語を読むことの楽しさを覚えさせるためのリーディング素材でもあった。

スイス改革派教会助祭オステルヴァルドのフランス語の聖書は、内外聖書協会やＳＰＣＫによって英語版が出され、ブリテン島諸地域やアイルランドをはじめ、後の英語圏を形成する統治領、植民地に流布した。その一方で、それらのキリスト教布教組織はそのフランス語版をあらためて出版し、フランス語圏のカトリックの子供にも提供した。一九世紀にはＳＰＣＫは新大陸の先住民向けの版なども出版する。プロテスタントの初歩の教義の世界への伝達は、子供用の聖書を持つ小さな手に委ねられた。

注

（1）本章は初出一覧に示した紀要論文の一部に加筆したものであるが、ほぼ同じ内容が拙著『イギリス近代の英語教科書』（開拓社、二〇二一）第八章にも含まれている。なお、キリスト教知識普及協会については同書第一章を見よ。

（2）Nicolas Fontaine, *The History of the Old Testament*, 2 vols (London, 1688, 90); R. H., *The History of Genesis* (London, 1690). [Nathaniel Crouch], *Youths Divine Pastime. Containing Forty Remarkable Scripture Histories*, 2 vols (London, 1691, 1720); [Anon.], *A Compendious History of the Old and New Testament, Extracted from the Holy Bible*, 3rd edn (London, 1735; 1st edn, 1726). Ruth B. Bottigheimer, *The Bible for Children: From the Age of Gutenberg to the Present* (New Haven, 1996), pp. 43–44を参照。

（3）Charles Hoole, *A New Discovery of the Old Art of Teaching Schoole* (London, 1660; repr. Liverpool, 1913), p. 22. 他は引用も含め、Scott Mandelbrote, 'The Bible and Didactic Literature in Early Modern England', in *Didactic Literature in England 1500–1800: Expertise Constructed*, ed. by Natasha Glaisyer and Sara Pennell (Aldershot, 2003), pp. 19–39 (p. 35) を参照。

（4）Bottigheimer, p. 44を参照。

（5）John Locke, *Some Thoughts Concerning Education*, ed. by John W. and Jean S. Yolton (Oxford, 2000),

p. 213（ロック『教育に関する考察』服部知文訳、岩波文庫、一九六七、二四六－四七頁）。

（6） 同上書、同上箇所（邦訳、二四七－四八頁）。

（7） W. K. Lowther Clarke, *A History of the S. P. C. K* (London, 1959), p. 50を参照。

（8） *An Account of Charity-Schools in Great Britain and Ireland*, 11th edn (London, 1712), p. 72.

（9） Mr [Jean Frédéric] Ostervald, *An Abridgment of the History of the Bible* (new edn, London, 1823). 初版の刊行は一七一二年あるいはそれ以前。

（10） オステルヴァルドとSPCKの関係についてはW. O. B. Allen and Edmund McClure, *Two Hundred Years: The History of the Society for Promoting Christian Knowledge, 1698–1898* (London, 1898), pp. 21, 116–18およびClarke, p. 94を参照。

（11） Bottigheimer, pp. 48–49を参照。

（12） [Jean Frédéric Ostervald], *An Abridgment of the History of the Bible* (London, 1715); Mr Ostervald, [*An Abridgment of the History of the Bible*] (London, [1854?]).; Mr Ostervald, *Ettunetle choh kwunduk nyukwun treltsei* (London, [1885?]).

（13） C. F. Pascoe, *Two Hundred Years of the S. P. G.: An Historical Account of the Society for the Propagation of the Gospel in Foreign Parts, 1701–1900*, 2 vols (London, 1901), I, pp. 88–102を参照。

（14） Alan and Veronica Palmer, *The Chronology of British History* (London, 1992), p. 288を参照。

（15） 旧約聖書の構文の特徴については *The Oxford Handbook of English Literature and Theology*, ed. by Andrew Hass, David Jasper and Elisabeth Jay (Oxford, 2007), p. 214を参照。

（16） [Anon.], *The Childrens Bible; or, An History of the Holy Scriptures* (London, 1763).

（17） M. O. Grenby, General Introduction to *Popular Children's Literature in Britain*, ed. by Julia Briggs, Dennis Butts, and M. O. Grenby (Aldershot, 2008), pp. 1–20 (pp. 4–6, 14) を参照。

第二章　ピューリタン後裔の子供の讃美歌

——アイザック・ウォッツ『聖なる歌』（一七一五）

「良き教えの本」の伝統

ピューリタンの作者たちによる「良き教えの本」（Good Godly books）と呼ばれる多くの一七世紀の児童書は、厳しい神の教えを子供たちに伝えることを目的とするものであった。ピューリタンにとって、子供は罪を犯しやすく訓戒の必要な存在であり、子供の読み物の目的は、彼らに罪に対する恐怖の念を植え付けることであった。そのため、地獄の業火におびえ、神を恐れる子供たちが好んで描かれた。

一八世紀前半を代表する讃美歌作者・宗教家であるアイザック・ウォッツ（図6）が、優れた英語教育者でもあることは別に紹介した。[1] 一方、ウォッツの子供のための讃美歌集『聖なる歌』（一七一五）[2]（図7）は、ピューリタン児童文芸の伝統を受け継ぐ厳しい教えを含みながらも、「やさしい言葉

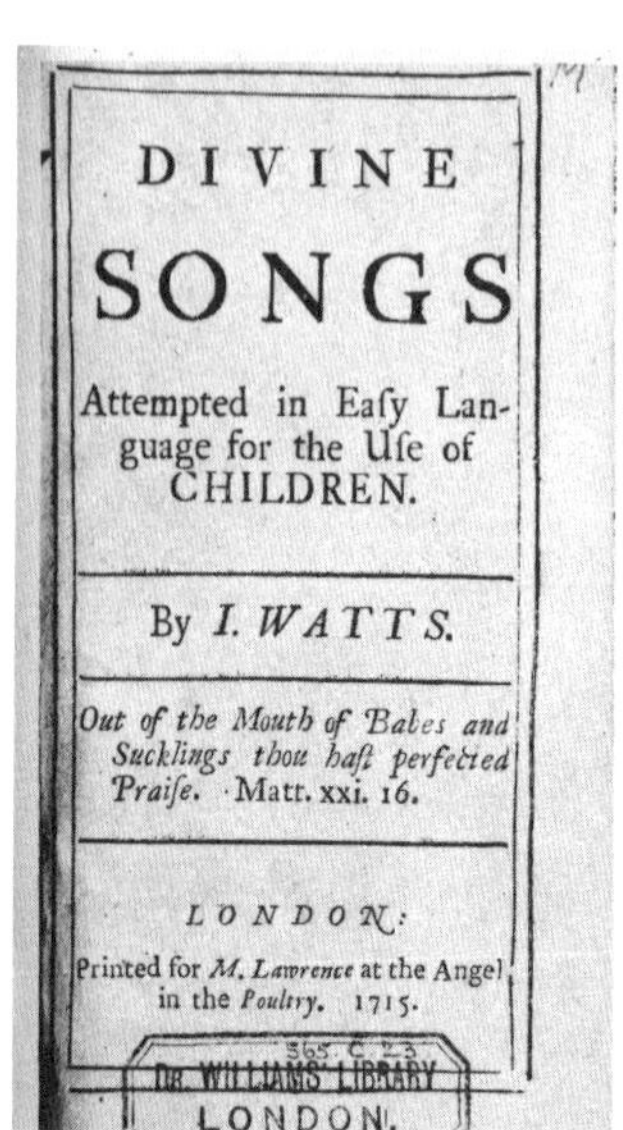

DIVINE
SONGS
Attempted in Easy Language for the Use of
CHILDREN.

By *I. WATTS.*

Out of the Mouth of Babes and Sucklings thou hast perfected Praise. Matt. xxi. 16.

LONDON:
Printed for *M. Lawrence* at the Angel in the *Poultry.* 1715.

図7　アイザック・ウォッツ『聖なる歌』(1715) 扉

図6　ゴドフリー・ネラーによるウォッツの肖像

で書かれた、子供にわかりやすく覚えやすい、調子のよい歌」によって、「宗教的な教えに新しい道を開いた[3]」と言われる。子供にわかりやすい明快な比喩や豊富なイミジャリーを含む彼の子供の讃美歌は、児童文学史において画期的なものであった。またウィリアム・ブレイク等のいわゆるロマン主義的な「無垢」な児童像の源流の一つともされる[4]。『イングランドの子供の本——五〇〇年の歴史と社会』の著者ハーヴィー・ダートンは「ピューリタンの、子供を厳しく責め立てるような、恐ろしい愛情」の時代の終わりを告げるものであると評している[5]。

『聖なる歌』は一七一五年に出版されて以来、著者の存命中だけでも二〇回ほど版を重ねた。さらに一八世紀末から一九世紀半ばにいたる時期には、大量のトフクト版が、おもに慈善学校や日曜学校を通して多くの労働者階級の子供たちの手にもわたった。出版以来、きわめて多くの読者に親しまれ、一五〇年もの間、イギリスをはじめとする英語圏の国々の代表的な子供の本として、少なくとも八〇〇万部以上が流布したとされる。(6) 同書は、一般の児童書として中流階級の子供たちに読まれただけではなく、多くの貧しい階層の読者を得たことにその特質がある。また当代の非国教プロテスタントを代表する宗教家・讃美歌作家による書が、刊行以来イングランド国教会系の学校の生徒にも受け取られたことも興味深い。トラクトのかたちでその驚異的な発行部数を誇ったあと、一九世紀半ばを過ぎる頃から、言わばイギリスの子供のしつけや教育におけるピューリタニズムの影響の衰退を象徴するように、この本から読者が急速に離れていった。本章では、ピューリタンの孫たちのための讃美歌集である同書の内容と流布の事情を検討したい。(7)

最も美しい讃美歌の作者

ウォッツが最もよくその名を知られるのは優れた讃美歌作者としてである。彼の讃美歌は今日でもイングランド国教会、非国教会の別を問わず、イギリスで、さらには世界中のプロテスタント教会で歌われる。英語の四大讃美歌の一つとされ、一九世紀の詩人・文芸評論家マシュー・アーノルドが最も美しい英語の讃美歌と評した「栄えの主イエスの」（'When I survey the wondrous cross'）や「ああ主は誰がため」（'Alas! And did my Savior bleed'）、「み神の力は」（'I sing the Almighty power of God'）のような創作をはじめ、旧約聖書の詩編九〇に基づく「はかない人間と永遠の神」（'Through every age, eternal God'）などはわが国でも信者のよく知る歌である。詩編九八の後半に基づくクリスマス・キャロル「もろびとこぞりて」（'Joy to the World'）はロウェル・メイソンの曲で信者ならずとも誰もが歌う。「み神の力は」を大人も子供も歌うが、実は『聖なる歌』の第二歌「創造と摂理への讃」にヴォーン・ウィリアムズが一九〇三年に民謡の旋律を当てて編曲したものである。(8)

全能のみ神の力を歌おう、
　山々をそびえ立たせ、
潮流を大洋へと延べ広げ、
　はるか高き天空を建てられた。（一節）

I Sing th'Almighty Power of God,
　That made the Mountains rise,
That spread the flowing Seas abroad,
　And built the lofty Skies. (v. 1)

ウォッツは、讃美歌が詩編のパラフレーズ中心であった時代から創作中心となる時代への過渡期にその独創性を発揮した詩人であった。『英語讃美歌』の著者J・R・ワトソンによれば、一七世紀までの讃美歌は韻律詩編とともに発展していた。すなわち聖書の内容を韻文にすることが目的であった。一方、ジョン・ダンやジョージ・ハーバート等形而上詩人の宗教的な詩の登場によって、個人の宗教的精神の表現が促され、讃美歌にも新たな性格が与えられるようになっていた。ウォッツはイギリスの讃美歌の歴史におけるそうした転換期に登場した。ウォッツの精神的成熟の背景には、非国教会の伝統、ピューリタンの迫害と追放の記憶、そして物理学者アイザック・ニュートンや哲学者ジョン・ロックの啓蒙思想の風土が存在した。(9) カルヴァン主義的な厳格性と啓明な児童像とが併存する彼の子供のための讃美歌にも、そうした時代の讃美歌作者としての自己表出が認められる。

ウォッツの宗教家、著述家としての人生にとって、一七一二年からのチェザント近郊シアボールズのトマス・アブニー卿宅への寄留が大きな転機となった。この時期以降、充実した執筆活動が行われたのである。一七二〇年までに宗教詩集『詩女神』(〔一七〇六〕)、『讃美歌と霊歌』(〇七)、『聖なる歌』(一五)、『ダヴィデの詩編』(一九)などの韻文の代表作が産み出された。教育に関する著作に積極的に取り組むようになるのはそれ以後である。『英語の読み方書き方』は一七二一年、『児童・少年教育論』は二五年、『子供の祈祷書』、『慈善学校奨励論』は二八年に刊行された。また、『子供と若者の教理問答』は『教理問答の教育法と構成法』併載で一七三〇年までには刊行されている。(10)

彼の後半生全体を決定するものであったアブニー家のもとでの暮らしは、『聖なる歌』の誕生にとってはより具体的で重要な契機をなすものであった。彼は同家の三人の娘、セアラ、メアリー、エリザベスの家庭教師を買って出る。「献辞」にあるように、『聖なる歌』はその三姉妹に献じられたものである。綴字と発音の教科書『英語の読み方書き方』ももともと三姉妹のために書かれたものであった。

讃美歌の教育的効用

『聖なる歌』は一七一五年にロンドンのイングランド銀行近くポウルトリーのM・ローレンスによって出版された。ローレンスは父ジョンの代から長老派教会の出版物の版元としてよく知られた(11)。判型はおよそ縦一五、横八・五センチメートルである。タイトルに続きアブニー家三姉妹への一三ページの献辞、五ページの序言があり、ページ番号一から三八までが本編たる二八の歌である。四九ページまでが「十戒」、新約聖書の断片、神への讃、「教訓の歌」三篇であり、巻末に二ページの目次が付されている。

三姉妹への献辞では、まず、保養の機会を与えてくれたことへの姉妹の両親アブニー夫妻への、また健康の回復を助けてくれた幼い三姉妹への感謝が述べられる。聖書や宗教についての豊富な知識を身につけた姉妹を称賛し、すべての子供が同書の讃美歌を読んで彼女たちと同じように多くを覚え、清らかな心を持つことが願われる。プロテスタントの宗教家としての著者の立場を示すものとして興味深いのは、前年のジョージ一世即位をアブニー卿とともに寿ぐ(ことほぐ)という件(くだり)である。その王権のもと、後代まで「宗教的、市民的自由がすべからく保たれること」が祈念される。トーリー党政権によって制定された教会分派活動禁止法は、非国教徒の教育活動を禁じるものであった。同法はジョージ一世の即位に伴い、ホイッグ党によって一九年に撤廃された[12]。名誉革命の王位継承の原則によって即位し、ジャコバイトの多いトーリー党に支持を得られない国王は、ホイッグ党の政治家に依存することで政治的な安泰をはかった。非国教徒への寛容も含むプロテスタントの治世の永続が期待されたのである。

家庭教師としての体験を通して宗教教育に関心を抱いたウォッツが、最初に書いた児童教育論とも言えるのが、同書の「児童教育に関わるすべての人々への序言」である。冒頭で幼いうちから美徳と宗教の喜びを与えることの重要性を訴えるこの序言の主題は、讃美歌の教育的効用である。「「韻文」は本来、神への礼拝のためのものであった」として、旧約聖書申命記でイスラエルの子供たちがモーセの歌の言葉を学んだことが、また讃美歌と詩編によって語り合い、主を称えて歌えよとの新約聖書エフェソの信徒への手紙の教えが引かれる。そのうえで、子供の讃美歌集である同書を用いて教育を行うことの利点は次の四つであると箇条書きにして説明している。以下がその概要である。一、旋律の楽しさから、神の真理や人間の義務を楽しく学ぶことができる。二、韻文で覚えたことは心に定着しやすく、すぐに思い出せる。三、一人で口ずさむことで、子供がものを考える時の心の拠り所となる。四、日々の、また週ごとの礼拝で歌えるように、一般の聖書の詩編の節(ふし)で歌えるように作ってある。さらに著者が謳うのは、特定の子供たち向けの内容となっておらず、裕福な子も貧しい子も、「イングランド」国教徒でも非国教徒でも、幼児洗礼を受けていてもいなくても、ともに歌えることであり、「より一般性のあるものにすることで、だれにも役立つようにした」と言う。

この序言で著者は、同書が幼い子供の教育においてきわめて実用的に用いられることを目指して作られたものであることを強調している。讃美歌によって子供の精神的な成長が図られるとする基本的な考えとともに、讃美歌が持つ教材としての効用が説かれている。「楽しむ」、「記憶する」、「口ずさむ」、「ともに歌う」といった子供の具体的な行為と結びついた学習技術の点から讃美歌が扱われているのである。第一の利点に見られる「楽しんで学ぶ」という考え方は、子供に「自分から学習することを望むようにさせ、他の種類の遊びや気晴しと同じように、学習を求めさせる」[13]ことの効用を説く同時代のロックの教育論に通じるものである。それまでの讃美歌作者がいわばその「書き手」であったのに対し、ウォッツは「一種の新しいバラッド作者」であったとも評される。[14]子供たちが楽しんで「歌える」ことが重要であった。また讃美歌とその本を「褒美」として子供に与えるという考えも示されている。一週ごとによく勉強した生徒に歌を一つ覚えるのを許したり、一〇ないし二〇の歌を覚えたら『聖なる歌』の本そのものを与えるなどすることで、子供にとっての「義務」を「褒美」に変えることができると言う。あとの節でも触れるように、同書は刊行以来、ことに世紀末からの日曜学校運動の進展のなかで、実際に「褒美の本」(reward book)として多くの子供たちに与えられたことで知られる。児童書は、単なるテキストではなく、勉強や行いについての評価や愛情の証しとしての価値を持つようになったのである。[15]

ピューリタン的な要素――ジェイムズ・ジェインウェイ『子供のための遺言』（一六七二）とエイブラハム・チア『子供のための鏡』（一六七三）

家庭や学校での実用を視野に編まれたこの子供の讃美歌集に収められている歌の中に認められるピューリタン的な要素とはどのようなものだろう。たとえば第一二の歌「幼い頃の宗教の効用」（'The Advantages of Early Religion'）は、次のように歌いだされる。

幸せな子供は幼い頃に
　しっかり教えを受ける子供。
罪人の道を憎み、恐れるのは
　地獄へと続く道。

HAppy's the Child whose younges: Years
　Receive Instruction well;
Who hates the Sinners Path, and fears
　The Road that leads to Hell.

また、第一三の歌「手遅れの恐ろしさ」（'The Danger of Delay'）の第五節は次のような厳しい教えの歌である。

神を怒らせることは恐ろしい。
その威力と処罰の言葉にならぬすさまじさ。
その全能の鞭の一打ちで
幼い罪人（つみびと）はたちどころに地獄へと送られる。

'Tis dangerous to provoke a God;
His Power and Vengeance none can tell:
One stroke of his Almighty Rod
Shall send young Sinners quick to Hell.

たしかにこれらの節には地獄の業火の思想と、それを子供に教える際のピューリタンの伝統的な表現が含まれている。[16] たとえば一六三〇年にマサチューセッツ植民地に移住したアン・ブラッドストリートの詩「子供時代」では、子供は「罪の中に宿され悲しみとともに生まれる」ものとされ、「生まれついてアダムの罪の汚れを持ち、／行動するようになるとすぐさま罪を犯し始めた。」と歌われている。[17] また、バプティスト詩人エイブラハム・チアの『子供のための鏡』（一六七三）の「幼い少女のために」は「わたしのような可愛い娘が、／地獄へ行くとは、なんと憐れなことでしょう[18]」という詩節で知られる。こうした児童書の中でも、最もよく知られているものが、ジェイムズ・ジェインウェイの『子供のための遺言』（一六七二）であろう。ジェインウェイは、死によって神に救われるまで、すべての子供は地獄の罪人であり、彼らが「地獄に落ちるのに幼な過ぎるということはない」と言う。そして、「その子はすぐにでも地獄へと駆けてゆく」と罪深い子供たちの行いを物語ってゆくのである。『子供のための遺言』は、そうした子供たちが、やがて改悛し、敬虔に生き、歓喜の死を迎えるまでの一三の例を描いた、幼い者たちの殉教の書とも言うべきものである[19]。

実は、こうしたピューリタンの教義に基づく厳しい教えを含んだ多くの「よき教えの本」に接している当時のプロテスタントの読者には、『聖なる歌』に見られる教えや表現は、必ずしも今日の読者が受ける印象ほど恐ろしく残酷なものとして受けとられていなかったと考えられる。むしろ逆に、『聖なる歌』には、それまでのピューリタンものの児童書にはない寛大さが随所に見られ、当時の読者には、むしろ新鮮なものとして好感をもって受け入れられたと言えよう。たとえば、一七二七年の第八版までに新たに加えられた、愛し子を見守る親の神への感謝と祈りを歌った「ゆりかごの讃美歌」（'A Cradle Hymn'[20]）（図8）は、当時からウォッツの歌のなかでも最もよく知られ、親しまれた。

眠れ、よい子よ、しずかにまどろめ、
天使たちがお前のベッドを守っている！

無数の天の祝福が
お前の頭にやさしく降りそそぎ。
眠れ、よい子よ、お前の食べる物も着る物も、

67

Some copies of the following HYMN having got abroad already into several Hands, the author has been persuaded to permit it to appear in public, at the end of these Songs for CHILDREN.

A CRADLE HYMN.

HUSH! my dear, lie still and slumber,
Holy angels guard thy bed!
Heavenly blessings without number
Gently falling on thy head.

Sleep, my babe, thy food and raiment,
House and home, thy friends provide;
All without thy care or payment,
All thy wants are well supplied.

How much better thou'rt attended
Than the Son of God could be;
When from heaven he descended,
And became a child like thee!

図8　ウォッツ『聖なる歌』(1840年頃) 67頁

家も家庭も、善意の人たちが授けてくださる。
苦労せずとも買わずとも、
　お前に要るものすべてがここにある。

どれほどお前は恵まれていることか
神の子に較べれば。
天より降誕され、
　お前と同じ子供となられたときの！

お前のゆりかごは柔らかく心地よく、
　救い主のそれは粗末で固い、
生まれ屋は馬屋であり、
　せめても柔らかな干し草のベッドであった。（一－四節）

HUSH! my dear, lie still and slumber,
　Holy angels guard thy bed!
Heavenly blessings without number
　Gently falling on thy head.

Sleep, my babe, thy food and raiment,
　House and home, thy friends provide;
All without thy care or payment,
　All thy wants are well supplied.

How much better thou'rt attended
　Than the Son of God could be;
When from heaven he descended,
　And became a child like thee!

Soft and easy is thy cradle:
　Coarse and hard thy Saviour lay,
When his birth-place was a stable,
　And his softest bed was hay. (vv. 1–4)

このように自らの子供の誕生とキリストのそれとを対比する節から始まるこの歌は、第八、九節ではキリストの処刑と復活を次のように歌う。

しかし恥ずべき物語の伝える、
　ユダヤ人たちの王への侮辱、
栄光の主へのしうち、
　それらが歌う私を憤らせる。

見よ優しき羊飼いたちが彼をとりまき、
　天からの奇跡を告げる。
彼らがイエスをさがすとそこに彼はいた、
　処女母の傍らに。

Yet to read the shameful story,
　How the Jews abus'd their King;
How they serv'd the Lord of glory,
　Makes me angry while I sing.

See the kinder shepherds round him,
　Telling wonders from the sky:
Where they sought him, there they found him,

With his virgin-mother by. (vv. 8–9)

受肉、磔刑あるいは復活の扱いに見られるこうした思想や表現の「優しさ」はそれまでのピューリタン伝統の子供の歌には類のないものである。(21)

ピューリタンの宗教思想の流れを汲む基本的には厳格な教えを、読者の教派や身分にとらわれることなく、子供の嗜好に合わせて伝えるという作者の意図は、出版当初から広く共感を得、早くから版を重ねた。初版に続き、第二版もローレンスを版元に出された。三版以降、一七三五年の第一三版までの印刷所はリチャード・フォードである。所在地がローレンスと同じであることから、版元を引き継いだかあるいはその提携者であったと思われる。イギリスにおける近代的な著作権法の最初の施行は一七一〇年であり、『聖なる歌』は同法の適応された初期の出版物である。著作権の保護期間は一四年であり、著者存命の場合はさらに一四年間延長される。したがってウォッツ存命中のおそらく一七四四年までは著作権は著者自身にあった。それ以後ウォッツの最初の著作集が出された五三年まではトマス・ロングマンとジェイムズ・バックランド等が彼の著作の包括的な版権を獲得し、その後七二年頃までその版権が保持されたと考えられる。(22)

その後、福音派やメソディスト派を中心とする宗教の復興運動を背景に、子供の読書への見直しが提唱された一八世紀末には、『聖なる歌』は多くの論者によってあらためて称賛されるようになる。たとえば、サミュエル・ジョンソンは『英国詩人列伝』の中で、ウォッツを、「学者や哲学者や才人のためにではなく、子供たちのために、理性が芽生え育ちゆく過程にある彼らの好みや能力に合わせたささやかな祈りの歌と教育方法とを著した[23]」と評している。ウォッツをその範として、一七八一年に『子供の散文の讃美歌』を出版したアナ・リティーシャ・バーボールドは、その序文で、詩を子供の能力に合わせて作ることには疑問を呈しながらも、ウォッツの『聖なる歌』を、高尚なる詩才を子供のために発揮したものとして称賛している。また、教訓主義児童文学作家セアラ・トリマーは、慈善学校や日曜学校での用を念頭に一七八九年に『聖なる歌』の注釈本を出している。そしてその緒言の冒頭で、「これまでに子供のために書かれたすべての宗教的な本のなかで、ウォッツ博士の『聖なる歌』ほど楽しい思い出になっているものはない」と追想している[24]。さらに、エリザベス・ヒルの非国教女子慈善学校用の詩の教科書『ポエティカル・モニター』（一七九六）の副題にも「ウォッツ博士の『聖なる歌』に倣った、若い人たちの美徳と信仰の向上のための名作・オリジナル詩集」とあった[25]。また、一九世紀に入ってからは日曜学校用に出された版も多数あった[26]。

『聖なる歌』のトラクトとその国際的流布

一八世紀末から一九世紀中頃にいたるまでの下層階級の子供たちにとって、最も身近な読み物は、妖精物語や伝説などを内容とする、一八二〇年代頃からチャップブック（chapbook）と呼ばれるようになる粗末な物語の冊子をのぞけば、慈善学校や日曜学校などで与えられるトラクトであった。ウォッツの『聖なる歌』は、本章の最初の節で触れたように、早い時期からトラクトとして出版され、一九世紀半ばまで、日曜学校の生徒を中心に多くの読者を得ていた。[27]

そもそもトラクトは、すでに一六世紀の宗教改革期以降、ことにイギリス革命期に民衆のための安価な布教用の印刷物として盛んに出版されるようになっていた。キリスト教知識普及協会（The Society for Promoting Christian Knowledge. 以下、ＳＰＣＫと略記）も一六九九年の創設時からトラクトの普及に積極的に関与した。やがてそれは一八世紀後半以降のさまざまな社会・道徳改革運動のなかで、あらためて民衆に対する宗教的、政治的理念の伝達媒体として、確固とした役割を果たすようになる。おりからの日曜学校運動にも積極的に関わり、妹マーサとともにチェダーを皮切りにいくつもの学校を運営した福音主義作家ハナ・モアの「廉価版叢書」（Cheap Repository Tracts）（一七九五―九八）の刊行や、一七九九年の宗教的トラクト協会（The Religious Tract Society. 以下、ＲＴＳと略記）の設立も、そうした民衆の読み物の持つ宗教的、政治的な性格への認識の高まりのなかにとらえることができる。子供という読者層の形成や、慈善学校や日曜学校などの民衆教育の進展に伴って、この時期にもっぱら子供のためのトラクトが数多く出版されるようになるのも、言うまでもなく同様の事情によるのである。

こうした歴史的事情において、たとえば、最も大きな規模でトラクトの出版と配給を行ったＲＴＳが、トラクトの出版に当たって、当初から子供たちへの宗教教育を重視していたことは、一八〇三年に書かれた協会小史の次のような言葉からも明らかである。[28]

子供たちが急速に身に付けつつある伸び盛りの読書力を訓練するためのものを提供することが、そして彼らを楽しませ、その精神を清らかにするために書かれたものへと彼らの心を向けさせ、それによって、彼らの授かった能力を魂の幸福へと転化させるよう努めることが必要となったのである。[29]

RTSは、モアの「廉価版叢書」に刺激を受けて、トラクトという伝達媒体に着目し、キリスト教精神をその内容に含むトラクトを組織的に出版、配給することを目的として設立された。その設立趣意書に見られるように、同協会は、「無知文盲（grossly illiterate）のままであったろう実に多くの人々が、日曜学校を通してものを読むことができるようになっている今、そうした能力を確かな恩典とするための出版物の普及がいよいよ重要となっている[30]」とする認識に基づいていた。創設者の一人で、コヴェントリーの会衆派教会の牧師ジョージ・バーダーは、「より定期的、体系的に、宗教的トラクトが流布されるよう何らかのことがなされるべきであり、それによって、モア夫人がそのすぐれた「廉価版叢書」で行ったよりも充実したかたちで、福音書の教えが広められることが私の願いである[31]」と述べている。

趣意書によれば、協会の目的は「わずかなページに凝縮[32]」した有益な書を、多くの販売員を通して津々浦々の家々に供給することであった。それは、聖書や、ジョン・バニヤン、ジェイムズ・ハーヴィー、フィリップ・ドッドリッジのようなピューリタン作家や聖職者の著作、あるいは讃美歌集や教理問答集などを寄贈するのとは別の形での布教への貢献となると言う。キリスト教知識を急激な成長を見せる読者大衆に親しみやすく広く浸透させるために、小さく安価なトラクトの出版と配給という形式が最適であると考えられた。こうしたキリスト教の普及を、イギリス帝国の経済的、政治的発展を背景に、イギリス国内や植民地をはじめ、諸外国においても推し進めた同協会をはじめとする諸団体は、早くからウォッツの『聖なる歌』をその目録に加え、多くの版を出していた。

一七七二年頃にそれまでロングマン゠バックランド社が持っていた版権が切れた後も、『聖なる歌』の同社以外の版は一八世紀末までのしばらくの間は多くなかった。やがて一九世紀に入ると、ウィリアム・ダートン、ヘンリー・モズリーなど、よく知られる版元からも出されるようになるが、むしろ世紀末以降一九世紀を通じて『聖なる歌』の出版を積極的に行うようになるのは、SPCKやRTSなどの布教支援組織であった。

これらの宗教的な諸組織によって刊行された『聖なる歌』のトラクトの先駆けとなったものは、すでに言及したモアの「廉価版叢書」のそれであった。モアのトラクトの刊行が開始された翌一七九六年頃には早くも『聖なる歌』がその叢書に加えられている。(33)(図9)モアの他のトラクトとともにその印刷を請け負っていたロンドンのジョン・マーシャルのほか、ロンドンのR・ホワイト、バースのS・ハザードの書店、および全国の書店、新聞売り、行商人によって一ペニー半で売られた。学校用に二五冊以上の購入で割引があった。大きさは縦一四・五、横八センチメートルであった。内容は版権が生きていた時代とほぼ同様だが、序言が省略され、四つの祈祷と讃美歌一篇が加えられている。

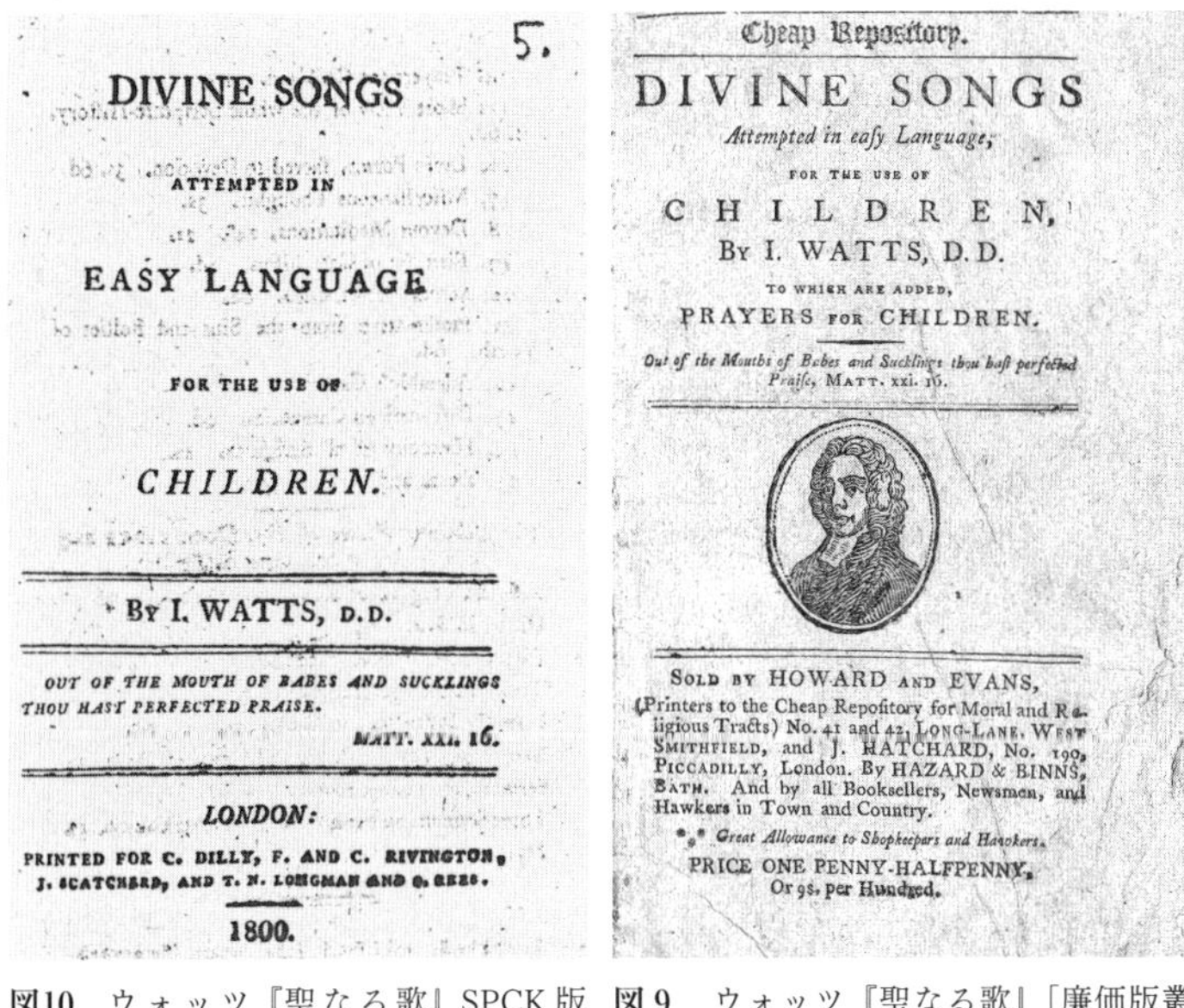

5.

DIVINE SONGS

ATTEMPTED IN

EASY LANGUAGE

FOR THE USE OF

CHILDREN.

By I. WATTS, D.D.

OUT OF THE MOUTH OF BABES AND SUCKLINGS THOU HAST PERFECTED PRAISE.

MATT. XXI. 16.

LONDON:

PRINTED FOR C. DILLY, F. AND C. RIVINGTON, J. HATCHARD, AND T. N. LONGMAN AND O. REES.

1800.

Cheap Repository.

DIVINE SONGS

Attempted in easy Language,

FOR THE USE OF

CHILDREN,

By I. WATTS, D.D.

TO WHICH ARE ADDED,

PRAYERS FOR CHILDREN.

Out of the Mouths of Babes and Sucklings thou hast perfected Praise, MATT. xxi. 16.

SOLD BY HOWARD AND EVANS, (Printers to the Cheap Repository for Moral and Religious Tracts) No. 41 and 42, LONG-LANE, WEST SMITHFIELD, and J. HATCHARD, No. 190, PICCADILLY, London. By HAZARD & BINNS, BATH. And by all Booksellers, Newsmen, and Hawkers in Town and Country.

*** Great Allowance to Shopkeepers and Hawkers.

PRICE ONE PENNY-HALFPENNY, Or 9s. per Hundred.

図10　ウォッツ『聖なる歌』SPCK版(1800) 扉

図9　ウォッツ『聖なる歌』「廉価版叢書」, 後版(発行年不詳) 扉

SPCKも多くの『聖なる歌』のトラクトを出している。今日知られている最も古いものは一八〇〇年のものである。(図10)一八〇一年には布教出版社(Mission Press)からウォッツの教理問答と祈祷を加えた版が出されている(34)。

RTSのトラクトに『聖なる歌』が最初に加えられたのは一八一六年である(35)。ブリティッシュ・ライブラリーに所蔵されている同協会の一八二〇年頃の挿絵入りのトラクトはおよそ縦一七、横九センチメートルの大きさで、二四ページにすべての歌が収められている。一八三六年のものと思われるものに『歌うための日曜学校讃美歌集――ウォッツ『聖なる歌』を含む』がある。一〇×六・五センチメートルで、モアのものなどと比べて

も、最も小さい部類のトラクトである。[36]

一七一五年の初版は七二ページ（歌自体は四九ページ）であったが、SPCKの一八〇〇年のトラクトは七〇ページ、ただし、きわめて小さな活字で組まれたRTSの一八二〇年頃のものは二四ページ、SPCKの一八二一年の版[37]が四八ページというように、ページ数はそれぞれに異なる。しかし、多くのトラクトでは、「聖なる歌」の二八の歌をはじめ、七篇の「道徳の歌」と「ゆりかごの讃美歌」を加えた一七四〇年頃の版以来の内容がほぼそのまま収められている。序言の削除や、初版に含まれない歌が加えられるなどの異同はあっても、歌そのものに手が加えられることはほとんどなかったと言ってよい。

内容に関わる改変と言えるものは、第五の歌「キリスト教国に生まれ教育を受けることへの讃美」の第二節である。

神様のおかげです、
私が「ブリテン」の地に生まれたのは、
天の恵みの川が流れ、
優しい救いの言葉が聞こえるこの地に。

'Tis to thy Sovereign Grace I owe,
That I was born on *Brittish* Ground,
Where Streams of Heavenly Mercy flow,

And Words of sweet Salvation sound.

初版では二行目の「「ブリテン」の地」（'*Brittish* Ground'）という詩句（'Brittish' がイタリック体で印刷されている）が、一九世紀以降はアメリカ版やいくつかのイギリス版で、「キリスト教徒の地」（'Christian Ground'）に変更されている。『聖なる歌』のアメリカでの出版は一七一九年以降であった。ちなみに一八世紀末の四半世紀にアメリカ版の出版数はその頂点を迎え、一七七三年から一八〇〇年までの期間だけで一九一の版が確認されるという。[38]

前章でも触れたように、ＳＰＣＫはすでに同系の海外布教組織である海外福音宣教協会（The Society for the Propagation of the Gospel in Foreign Parts）の活動を通して以前からその出版物をイギリス国内だけでなく統治領や諸外国へも配給していた。ＲＴＳは当初から海外への英語版や各地域のヴァナキュラーな言語への翻訳版のトラクトの普及を目的としていた。イギリス帝国の海外進出と歩調を合わせて、一九世紀半ばまでに、ブリテン島諸地域、アイルランド、ヨーロッパの国々をはじめ、ロシア、中近東、インド、中国、日本、朝鮮、ポリネシア、ニュー・ジーランド、オーストラリア、アフリカ、ラテン・アメリカ、西インド諸島、北アメリカ自治領（カナダ）、そしてアメリカ合衆国にいたる地域へと発展していた。[39] これらの地域のうち、後に英語圏と呼ばれる地域の『聖なる歌』の読者のために「「ブリテン」の地」という語句が「キリスト教徒の地」に変更されることは、言わば当然のことであった。また、初版の序文に見られた「キリスト教世界の手本」としての「イギリス（Great

Britain）の若者たち」は、ヴィクトリア時代のヘンリー・モズリー・アンド・サン版（一八四〇）では「イギリス帝国（the British Empire）の若者たち」へと変更された。[40] 児童文学・文化史家のアイリーン・ウェイリーは、この一節をめぐって、アイザック・テイラーの『アジアの風景』（一八一九）などのような、一九世紀初頭に流行した地誌の児童書に見られる当時の中流階級の抱くキリスト教国イギリス至上主義は、実はウォッツが確立した伝統に従ったものであると指摘している。[41] 一七〇七年のスコットランド合同の直後に出版された『聖なる歌』自体が含んでいたキリスト教国の鑑（かがみ）としてのイギリス至上の理念に基づく世界像は、RTS等のトラクトのかたちでより広範に流布されるに際して、あらためて海外福音宣教協会の宗教的な海外進出の理念と分かちがたく結びつけられた。

『聖なる歌』のトラクトが、実際にどれほどの部数流布したかについて、その詳しい数を算出することはできない。RTSの協会史によれば、一八三四年に同協会のものだけでも、約八五万部が流通したという。[42] また『アイザック・ウォッツ伝』（一八四五）の著者トマス・ミルナーは、一九世紀半ばでも、国内で三〇種類以上の版が出版されており、年間の発行部数の平均はイングランドだけで八万冊以上であると言う。さらにSPCKとRTSだけで一〇万冊以上配給したと伝えている。[43] 一八世紀末から一九世紀半ばまでの時期を中心に、およそ八〇〇万部が子供たちの手にわたったとされる。慈善学校や日曜学校で用いられたほか、全国の書店で、トラクト売りの販路によって、また各地でこれらの布教組織が運営する図書室などの施設を通して、驚異的な部数が流通したことは間違いない。

宗教的な児童書の役割の終焉

一八三四年生まれのマリアン・ファーニンガムの『ある女性労働者の自伝』（一九〇七）には、『聖なる歌』の第一一の歌「天国と地獄」（Heaven and Hell）の第二節「恐ろしい地獄が口を開け、／果てることのない苦しみが待っている、／暗黒と、業火の中、鉄鎖につながれ／罪人たちは悪魔とともに生きて行く」（There is a dreadful Hell, / And everlasting Pains, / There Sinners must with Devils dwell / In Darkness, Fire, and Chains.）といった詩節を日曜学校で暗唱させられたという記述が見られる。著者は「このような歌の載った本が子供たちに与えられていたということにびっくりする」と記し、「地獄というものは私にはとても現実味があった」と述懐している。[44] この時代の子供たちにとっては、『聖なる歌』は、繰り返し暗唱させられる、宗教色の強い、いたずらに恐ろしい内容の本であり、その暗唱は明らかに「楽しみではなく、務め[45]」になっていた。

『聖なる歌』をはじめとする、ピューリタンの「良き教えの本」の伝統を汲む児童書から読者が離れていった過程は、多くの場合、イギリスの児童文学史における教訓主義の時代の終焉を意味するものとしてとらえられる。ヴィクトリア時代に入ると、もっぱら娯楽を目的とする児童書も盛んに出版されるようになり、やがて世紀後半には、いよいよ「想像力を解放する」近代的な「児童文学」の「黄金時代」が到来するという図式は、多くの児童文学史の認めるものである。[46]

しかし、そうした「児童文学」の登場は、単に一八世紀末以降に見られた過剰な教訓主義への反動としてのみ理解することはできない。むしろ『聖なる歌』に代表される宗教的な児童書が、キリスト教国の盟主としてのイギリス帝国による国内外の諸地域のイギリス化の理念のもとにトラクトに取り込まれたことによって、その配給される圧倒的な部数や、あるいは日曜学校における繰り返しの暗唱という教育方法の旧弊さを理由として、飽きられ、顧みられなくなっていった過程としてとらえることができる。ピューリタン的な教訓主義の衰退は、実は児童書を含む民衆的な出版物の配給と流布の体系におけるさまざまな変容の一つの現われに過ぎないとも言える。一方でそれは、諸地域のイギリス化において宗教的な児童書が果たしてきた役割が、いわば完遂したことをも意味したのである。第八章で扱うロバート・バーンズらの華麗な挿絵入りのＲＴＳ版（一八八五）[47]は特異である。『聖なる歌』の最後の版は一九〇一年にイギリスおよびアメリカで出された一八九六年版の再版である[48]。それ以降『聖なる歌』はほぼ完全に子供たちの手から離れた。

注

（1）拙著『イギリス近代の英語教科書』（開拓社、二〇二一）第五章を見よ。

（2）I. Watts, *Divine Songs Attempted in Easy Language for the Use of Children* (London, 1715). 小論の筆者が用いたのは Isaac Watts, *Divine Songs: Attempted in Easy Language for the Use of Children*, Facsimile Reproductions of the First Edition of 1715 and an Illustrated Edition of *circa* 1840, with an Introduction and Bibliography by J. H. P. Pafford (Oxford, 1971) 所収の Dr. Williams' Library 所蔵のものである。

（3）　Mary F. Thwaite, *From Primer to Pleasure in Reading: An Introduction to the History of Children's Books in England from the Invention of Printing to 1914 with an Outline of Some Developments in Other Countries* (London, 1963; Boston, 1972), p. 54.

（4）　V. de Sola Pinto, 'Isaac Watts and the Adventurous Muse', *Essays and Studies of the English Association*, 20 (1935), 86–107; Pinto, 'Isaac Watts and William Blake', *Review of English Studies*, 20 (1944), 214–23を参照。

（5）　F. J. Harvey Darton, *Children's Books in England: Five Centuries of Social Life*, 3rd edn, rev. by Brian Alderson (Cambridge, 1982), pp. 110–11.

（6）　Wilbur Macey Stone, *The Divine and Moral Songs of Isaac Watts. An Essay thereon and a Tentative List of Editions* (New York, 1918); Stone, 'A Brief List of Editions of Watt's [sic] Divine Songs Located since 1918', Typescript (New York, 1929) による。Pafford, pp. 1–2を参照。

（7）　本章は拙論「教訓主義の衰退――アイザック・ウォッツの『聖なる歌』とそのトラクト」（川口喬一編『文学の文化研究』研究社出版、一九九五、一四七―六三頁）を改稿し、拙論「フランス革命論争と妖精物語論争――社会改革期のイギリスにおける子供の読書」（二〇〇一年度筑波大学博士（文学）学位請求論文）に第八章として収めたものに加筆したものである。

（8）　Arthur Paul Davis, *Isaac Watts: His Life and Works* (London, 1948), p. 212; *A Dictionary of Hymnology: Setting forth the Origin and History of Christian Hymns of All Ages and Nations*, ed. by John Julian (London, 1892; repr. 1925), p. 1270; 原恵『賛美歌――その歴史と背景』（日本基督教団出版局、一九八〇）、一四三―四四頁、日本基督教団讃美歌委員会編『讃美歌２１略解』、再版（日本基督教団出版局、二〇〇三）、二三〇頁を参照。

（9）　J. R. Watson, *The English Hymn: A Critical and Historical Study* (Oxford, 1997), p. 133を参照。

（10） I[saac] Watts, *Horæ Lyricæ. Poems Chiefly of the Lyric Kind*, 2vols ([1706]); Isaac Watts, *Hymns and Spiritual Songs*, 3vols (London, 1707); I. Watts, *The Psalms of David Imitated in the Language of the New Testament* (London, 1719); I. Watts, *The Art of Reading and Writing English: or, The Chief Principles and Rules of Pronouncing our Mother-Tongue, Both in Prose and Verse; with a Variety of Instructions for True Spelling* (London, 1721). [Isaac Watts], [*A Discourse on the Education of Children and Youth*] ([1725]). この書については Thomas Milner, *The Life, Times, and Correspondence of the Rev. Isaac Watts, D. D.* (London, 1845), p. 398 を参照。 I. Watts, *Prayers Composed for the Use and Imitation of Children, Suited to their Different Ages and their Various Occasions* (London, 1728); I. Watts, *An Essay towards the Encouragement of Charity Schools, Particularly Those Which Are Supported by Protestant Dissenters, for Teaching the Children of the Poor to Read and Work* (London, 1728); Isaac Watts, *Catechisms: or, Instructions in the Principles of the Christian Religion, and the History of Scripture, Composed for Children and Youth, According to their Different Ages. To Which is Prefix'd, a Discourse on the Way of Instruction by Catechisms, and the Best Manner of Composing Them*, 2nd edn (London, 1730).

（11） M・ローレンスについては Henry R. Plomer, *A Dictionary of the Printers and Booksellers Who Were at Work in England, Scotland and Ireland from 1668 to 1725* (Oxford, 1922; repr. 1968), p. 184を参照。

（12） 教会分裂行為禁止法については William Gibson, *The Church of England 1688–1832: Unity and Accord* (London, 2001), pp. 83–85を参照。

（13） John Locke, *Some Thoughts Concerning Education*, ed. by John W. and Jean S. Yolton (Oxford, 2000), p. 209（ロック『教育に関する考察』服部知文訳、岩波文庫、一九六七、二三九頁）。

（14） George Sampson, 'The Century of Divine Songs' in *Proceedings of the British Academy*, 29 (1943), pp. 37-64 (p. 41) を参照。

（15） 宗教的な「褒美の本」については Kimberley Reynolds, 'Rewarding Reads? Giving, Receiving and Resisting Evangelical Reward and Prize Books' in *Popular Children's Literature in Britain*, ed. by Julia Briggs, Dennis Butts, and M. O. Grenby (Aldershot, 2008), pp. 189–207を、児童書の「褒美」としてなどの新たな価値については、M. O. Grenby, *The Child Reader 1700–1840* (Cambridge, 2011), pp. 175–78を参照。

（16） ピューリタン児童文芸の特質については、*From Instruction to Delight: An Anthology of Children's Literature to 1850*, ed. by Patricia Demers & Gordon Moyles (Tronto, 1982), pp. 42–44; C. John Sommerville, *The Discovery of Childhood in Puritan England* (Athens, GA, 1992), chap. 2も参照。

（17） Anne Bradstreet, 'Childhood', in *The Works of Anne Bradstreet*, ed. by Jeannine Hensley (Cambridge, Massachusetts, 1967), pp. 52, 54.

（18） Abraham Chear, 'Written to a Young Virgin, Anno 1663', in *A Looking-Glass for Children; Being a Narrative of God's Gracious Dealings with Some Little Children* (London, 1673), p. 27.

（19） James Janeway, *A Token for Children* (London, 1672); later edn (London, 1792), pp. iv–v, 27.

（20） Pafford編の前掲書所収の *Divine Songs* (Derby, [*c.* 1840]), pp. 67–69.

（21） Demers & Moyles, p. 62を参照。

（22） Pafford, pp. 64–65, 68を参照。

（23） Samuel Johnson, The *Lives of the Most Eminent English Poets*, new edn, 4 vols (London, 1790–91), IV (1791), p. 280.

（24） A[nna] L[aetitia] Barbauld, *Hymns in Prose for Children* (London, 1781); Mrs. [Sarah] Trimmer, *A Comment on Dr. Watts's Divine Songs for Children, with Questions* (London, 1789), p. iii. 後者は、『聖なる歌』が実際に日曜学校の教室で同書がどのように用いられたかを示すものとして興味深い。同書については別に論じる。

(25) [Elizabeth Hill], *The Poetical Monitor: Consisting of Pieces Select and Original, for the Improvement of the Young in Virtue and Piety: Intended to Succeed Dr. Watts' Divine and Moral Songs* (London, 1796). 同書については拙論 Ryoji Tsurumi, 'Between Hymnbook and Textbook: Elizabeth Hill's Anthologies of Devotional and Moral Verse for Late Charity Schools', *Paradigm: Journal of the Textbook Colloquium*, 2-1 (2000), 24-29、および同拙論を論拠としてヒルの書に言及した Asa Briggs, *A History of Longmans and their Books 1724-1990: Longevity in Publishing* (London, 2008), pp. 66-67のほか、前掲の拙著第二章を見よ。

(26) Pafford, pp. 89-90を参照。

(27) チャップブックの定義については、M. O. Grenby, 'Before Children's Literature: Children, Chapbooks and Popular Culture in Early Modern Britain', in Briggs, Butts and Grenby, pp. 25-46 (pp. 27-33) を参照。トラクト、およびその配給組織の歴史については、William Jones, *The Jubilee Memorial of the Religious Tract Society: Containing a Record of its Origin, Proceedings, and Results* (London, 1850); Richard D. Altick, *The English Common Reader: A Social History of the Mass Reading Public 1800-1900* (Chicago, 1957; repr. 1983), pp. 75-77, 100-08; Victor E. Neuburg, *Popular Education in Eighteenth Century England* (London, 1971); Neuburg, *Popular Literature: A History and Guide from the Beginning of Printing to the Year 1897* (London, 1977), pp. 259-61を参照。科学的内容のトラクトについては Aileen Fyfe, 'Tracts, Classics and Brands: Science for Children in the Nineteenth Century' in Briggs, Butts and Grenby, pp. 209-28を見よ。

(28) ＲＴＳの児童書については本書第八章の「宗教的トラクト協会の児童書」の節も見よ。

(29) Jones, pp. 12に引用されている。

(30) 同上書、一七頁に引用されている。

(31) 同上書、一四頁に引用されている。

(32) 同上書、一七頁に引用されている。

（33）Pafford, Bibliography, B46.
（34）Pafford, Bibliography, B50, B55.
（35）Jones, p. 125を参照。
（36）Isaac Watts, *Divine and Moral Songs for Children* (London, [c. 1820]). Pafford, Bibliography, B67.
（37）Pafford, Bibliography, B64.
（38）Pafford,p. 71を参照。
（39）Jones, Appendix, III を参照。
（40）Watts: *Divine Songs* (Derby, [c. 1840]), p. viii.
（41）Isaac Taylor, *Scenes in Asia* (London, 1819). Joyce Irene Whalley, *Cobwebs to Catch Flies: Illustrated Books for the Nursery and Schoolroom 1700–1900* (Berkeley, 1975), p. 89を参照。
（42）Jones, Appendix, V.
（43）Milner, pp. 372–73を参照。
（44）Marianne Farningham, *A Working Woman's Life: An Autobiography* (London, 1907), pp. 28–29.
（45）Darton, p. 109.
（46）Thwaite, chaps. 3, 4; Alec Ellis. *A History of Children's Reading and Literature* (Oxford, 1968), chaps. 8, 13などを参照。
（47）Pafford, Bibliography, B139.
（48）Pafford, p. 79を参照。

第三章　イギリス帝国の子供の物語

――ジョン・ニューベリー刊『靴二つさんの物語』（一七六五）とその続編（一七六六）

子供のために書かれた最初の写実主義的小説

今日でも英語話者の間では、真面目で行儀の良い、いわゆる「良い子ちゃん」のことを'Goody-two-shoes'（「靴二つさん」）と呼んで揶揄することがある。その慣用句の元となった『靴二つさんの物語』（一七六五）[1]（以下、『靴二つさん』と略記）（図11）は、現代英米児童文学の「祖先」[2]と呼ばれる児童書の先駆的な出版者ジョン・ニューベリーの刊行した書の中で最も好評を博したものである。ニューベリーは、イギリスに「マザー・グースの唄」という言葉をもたらした人物としても名を残す。また、その『マザー・グースの唄』[3]の編者ともされる作家オリヴァー・ゴールドスミスの作であるとする説による興味もあって、この物語は児童文学史においてしばしば言及される。しかし、『靴二つさんの物語』が実際に多くの子供たちに読まれたのは一九世紀初頭までで、それ以降は、子供たちによって

THE
HISTORY
OF
Little Goody Two-Shoes;
Otherwise called,
Mrs. Margery Two-Shoes.
WITH
The Means by which she acquired her Learning and Wisdom, and in consequence thereof her Estate; set forth at large for the Benefit of those,

Who from a State of Rags and Care,
And having Shoes but half a Pair;
Their Fortune and their Fame would fix,
And gallop in a Coach and Six.

See the Original Manuscript in the *Vatican* at *Rome*, and the Cuts by *Michael Angelo*. Illustrated with the Comments of our great modern Critics.

The Third Edition.

LONDON:
Printed for J. Newbery, at the *Bible* and *Sun* in St. *Paul's-Church-Yard*, 1766.
[Price Six-pence.]

図11　『靴二つさん』第3版(1766) 口絵と扉

顧みられることはほとんどなかった。『イングランドの子供の本』の著者ハーヴィー・ダートンはこの物語を「完全にその時代に属するものであり、その時代とともに生命を失った」と記し、むしろ、その時代の痕跡をとどめる歴史的な意味に注目している。[4] チャールズ・ラムは、すでに一八〇二年に詩人のサミュエル・テイラー・コールリッジに宛てた手紙の中で、当時の子供の本の世界について触れ、「子供部屋の懐かしい古典」である「『靴二つさん』などは、ほとんど絶版の状態だ」と書いている。そして、アナ・リティーシャ・バーボールド等の教訓性の強い物語や、地理や博物誌の無味乾燥な本が、「おとぎ話や迷信の物語」を子供部屋から駆逐してしまっていると嘆いた。[5] しかし、ラムが流行の道徳的な童話と対照的なものとして挙げる、言わば古い文化に属するこの『靴二つさん』は、今日の児童文学史では、むしろ「子供だけを楽しませることを意図してイギリスで書かれた最初の小説」[6]、あるいは、当時の「社会や教育や経済を反映した、子供のために書かれた最初の写実主義的小説」と呼ばれる。[7]また、善行は必ず報いられるとする教えを説く一八〇〇年前後に隆盛を見た後節でも論及する女性作家等による教訓物語（moral tale）の原型であったとも考えられている。[8]この物語においては、当時の民衆教育運動や動物虐待防止運動などの慈善活動がその教訓の要（かなめ）となっている。さらにその続編は、主人公の弟が船乗りとしてのイギリス帝国の辺境への冒険の果てに、貿易商として成功し故郷に錦を飾る立身出世の物語である。本編がおもに女子の読者を念頭に書かれているのに対し、こちらは男子向けであったとも言え、ジェンダー別の読者区分が意識されていることも興味を引く。

本章では、出版と同時に大成功をおさめ、一七八〇年代ぐらいまでは定期的に版を重ねたが、それ以降は徐々に顧みられなくなった、近代的な児童文学の誕生期を画するこの物語を取り上げ、当時の民衆の価値観や博愛主義的慈善活動との関わりを考察したい。[9]

妖精物語的世界観と近代的市民道徳

『靴二つさん』の作者について、ニューベリー自身とする説、彼の下請け作家であったジャイルズとグリフィス・ジョーンズ兄弟とする説、あるいは複数の著者による共作の可能性も指摘されている。[10]これら諸説のなかでも、ゴールドスミスであるとする意見がこれまでしばしば繰り返されてきた。ニューベリーは児童書出版の功績で言及されることが多いが、その出版物の中で児童書の占める割合は決して高くない。たとえばゴールドスミスのほか、詩人クリストファー・スマート、作家トバイアス・ジョージ・スモレット、さらには、大評論家サミュエル・ジョンソンの作品も出版している。特にゴールドスミスとの交流は、その『ウェイクフィールドの牧師』（一七六六）にニューベリーが「子供のための小さな本をたくさん書いているセント・ポールズ・チャーチヤードの情け深い本屋」[11]として言及されていることでも知られる。『靴二つさん』とゴールドスミスを結びつける資料は今日まで見いだされていない。しかし物語に認められるユーモアやペイソス、あるいは偏った富の蓄積による小作農民の追い立ての横暴さや不当性に対する批判などの政治的姿勢に詩「荒村行」（'The Deserted Village', 1770）との、また魔女裁判についての省察にエッセイ「嘘と偽りについて」（'On Deceit and Falsehood', 1759）との類似が指摘される。

たしかに『靴二つさん』では、その冒頭で、言わば牧歌的な村落共同体が、産業資本社会の形成の余波を受けて、徐々に変容してゆく様が示される。共同体の統合の象徴である教会区単位そのものが、今や貪欲な「信仰も徳もない男」（六頁）の手にわたることによってその機能と役割を失っている。事実、一八世紀中頃の農村社会の解体と貧困はきわめて深刻な社会的影響を与えていた。特に子供たちの悲惨な生活状況の改善は、ハナ・モア等の世紀末の民衆教育運動の中心目的であったが、それは、宗教や教育に反感を持つ郷紳や農民の抵抗によって、当初容易には地域に受け入れられなかった。[12]

主人公マージョリー・ミーンウェルの一家は、住み慣れた農場を、その土地を相続した貪欲な郷紳によって、反抗もむなしく追い立てられ、父親はその心労と失意の中に熱病で死に、母親も後を追うように死んでゆく。こうして両親を亡くし、弟トミーとともに孤児となったマージョリーは、親切なスミス牧師夫妻に救われる。マージョリーは夫妻のもとで暮らすこととなり、弟はスミス牧師の裕福な親類の世話で船乗りになる。「靴二つさん」とは、それまで片方しか靴をはいていなかったマージョリーが、一揃いの靴を買ってもらった嬉しさに「靴二つよ、おばさん、見て、靴二つよ」（二〇―二一頁）と叫んだことから付けられた名前である。やがて夫妻の家を出されたマージョリーは、スミス牧師のように賢くなりたいと考え、勤勉に励み、巡回教師（trotting tutoress）になり、ついに、努力と美徳とがウィリアム卿に認められ、ＡＢＣカレッジの校長となる。やがて船の仕事で成功して故郷に戻った弟にも祝福されてある紳士と結婚し、レディー・ジョーンズとなり、その後も死ぬまで貧しい者、弱い者に徳を施し、村人たちから慕われながら暮らしてゆく。

ダートンは『靴二つさん』を最初の児童小説であると述べ、同時にそれは、ラムが言うような「おとぎ話や迷信の物語」に類するものではなく、むしろ、たとえばラム姉弟の『レスター先生の学校』（発行年不詳）のような教訓物語や、さらには、ラムの嫌悪する、想像に乏しい、善行と果報を説くことを目的とする多くの教訓物語のもとになるものでもあったと記している。[13] たしかに、この物語が、特に労働者階級や新興の下層中流階級の子供たちにふさわしい作品として人気を獲得したのは、それが、主人公マージョリーが不遇から出発し努力と美徳によって成功するまでを、子供たちの興味をつなぎながら一貫して描く、言わば「立身出世」の教訓物語であったからであると言える。しかもこの教訓物語では、美徳は、妖精物語におけるような思いがけない架空の幸運をもたらすのではなく、この時代を反映した社会的地位や富裕な生活といった具体的な果報をもたらすものとして描かれる(14)。民話やシャルル・ペローやドーノワ夫人の妖精物語に認められたヨーロッパ民衆の古い世界観に支えられた自然や人事についての知恵としての教訓は、素朴にではあれ、立身出世に価値をおく道徳観や教育観に取り込まれて変容し、新しい意味を付与されているのである。

主人公は貧窮の中に、学校帰りの子供たちから、本を借りて読み書きを習得し、やがて、逆に彼らに教えるほどになって巡回教師となり、さらに成功して学校の校長となる。ここには、明らかに慈善学校などによる民衆教育の発展の過程や意味を見ることができる。勤勉と美徳の習慣を子供に身につけさせることを目的として展開されたいわゆる「慈善学校運動」は、下層階級の道徳教育を「狂信や迷信の妄想」(『国富論』)からくる無秩序から公益を守る政治的な経済効率のもとにとらえるアダム・スミスらの社会道徳論の形成と連動していた。出版されると同時に好評を博した『靴二つさん』が、その後やがて徐々に顧みられなくなってゆく時期は、地方都市における民衆教育が、一七八〇年代に始まる日曜学校運動の進展もあり、その規模を拡大しながら産業社会の経済効率的な要請に応じるようになる時代であった(15)。女教師として成功するこの主人公の生涯は、美徳の勝利を描く妖精物語の性格を残しながら、女性が教育によって富を得るという立身出世の物語、あるいは教養小説のかたちを持つようになった時期の子供の読み物の性格をよく示す。

こうした、妖精物語の世界を原型としながら、そこに当時の新興中流階級の道徳観や教育観が織り込まれ、それにふさわしい形式が与えられるのが、実はこの時期の新しい子供の読み物の特徴であった。そうした例はセアラ・フィールディングの『女教師、あるいは女子のための学校』（一七四九）にもすでに認められた。セアラは『トム・ジョーンズ』（一七四九）の著者ヘンリー・フィールディングの三歳違いの妹である。(16)

ここでは、月曜日から次の月曜日までの学校生活のなかで、九人の寄宿生がそれぞれの生い立ちを語ったり、最年長で生徒のまとめ役の少女が教訓的な寓話や妖精物語を読んで聞かせたりしながら、ミセス・ティーチャムの教育を受けるという構成になっている。たとえば第一日目に「残酷な巨人バーバリコと優しい巨人ベネフィコそしてかわいい小人ミニョン」と題された妖精物語が読まれる。その最後では、ミニョンらの活躍で悪者のバーバリコは退治され、善良な者たちが、ベネフィコの城のもとで平和に暮らすことになる。そしてこの物語を聞いた翌日には、その感想や意見が生徒たちによって述べられる。悪者の巨人が首を斬られる場面が一番よかったとか、ミニョンが魔法の紐を巨人の首に巻きつけたところがよかった、などといった素直な意見が出たあとで、まとめ役のミス・ジェニーは「どこが一番よかったかを言い合うのではなく、この物語の教訓について、それが自分たちにとってどんな役に立つかを考えてほしい」と促し、善良、忍耐、知恵など、学ばれるべき教訓が示されるのである。さらにミス・ジェニーは、「「巨人」「魔法」といった観念にこだわってはいけません。たとえば「巨人」というのは並外れた力を持った人のことでしかないのですから」（七二―七三頁）と注意も与えている。

ここにも妖精物語の異教的な世界観を正しながら、しかもその完結した世界像を手がかりに、庶民の子供にふさわしい教訓を示すという、一八世紀半ば以降に顕著な児童文学作家の態度と工夫が認められる。民話や伝承の妖精物語の完結した世界像のもとに自然や社会についての伝統的な知恵が示されたそれまでの子供の文芸の世界は、この時期に、近代小説の興隆に対応して断片化し、合理主義的な道徳観、教育観のもとにあらためて統合されているのである。一八世紀末から盛んとなり、一九世紀全般を通して見られ、おそらく今日にいたるまで認められる児童文学と教訓主義との結びつきは、このような合理主義的な教訓作家たちによる妖精物語的な世界観の読み直しとその意味の啓蒙的な組替えの努力によって、この時期に準備されたものである。

魔女と女教師

近代的な児童文学の成立の事情を考えるうえで、古い妖精物語的な世界観に基づく教訓性と、市民社会の発展に伴って徐々に確立されてゆく近代的な教育観との矛盾を示す童話『靴二つさん』とフィールディングの『女教師』の主人公が、ほかならぬ女教師（tutoress あるいは governess）[17]であることは、あらためて注目すべきことである。貧窮から脱し、女教師として中流階級的な家庭的幸福をも獲得するマージョリーは、同時に、村人たちに科学的な知識を与えたために魔女として非難されたり、あるいはその一方で、迷信や妖精信仰などの古い世界像からの脱却を村人に促したりする、古い文化と新しい世界観とを媒介する存在としての不安定な位置にある女教師でもある。この時期の児童文学を特徴づけるもう一つのものが、このマージョリーのもつ「魔女」と「女教師」との複合的な性格であると言える。(18)

金満家のレディー・ダックリントンの葬式のあった夜明けに、突然教会の鐘が鳴り、教会区中の人々がその婦人の幽霊の仕業だと信じ、大騒ぎになるが、実は教会の中にいたのはマージョリーであった。疲れ切って眠ってしまったところ、閉じ込められたことに気づいたため、鐘を鳴らして知らせたのだ。彼女は、神を信じ熱心に祈るものには恐れるものは何もないと人々に教える。さらにこの逸話の末尾には「省察」が付され、子供の読者に向けて「「幽霊」や「魔女」や「妖精」の物語は、熱に浮かされた者のたわごと」なのであり、マージョリーのように「「良識」と「健全な精神」」を持っていればそんなものを怖がることはないと説かれる。(五六頁)

マージョリーが「想像上の魔性のもの」(imaginary Evils)(五六頁)の類と取り違えられる逸話は、この第一部の第六章、第七章だけではなく、第二部の第六章でも繰り返される。しかもここでは単なる誤解によってではなく、日頃の慈善的行為そのものによって、彼女は魔女として糾弾され、審問を受ける。彼女は、教育活動以外にも、家庭内のもめごとをおさめるための、言わば心理的な効果のある帽子を考案したり、収穫期の天候不順に苦しんできた農民に気圧計のような道具を工夫して与えるなどする。こうした、村の人事、自然全般にわたる伝統的な知恵に抵触する合理的な行為によって、逆に、魔術的な知恵を管理し、その復權をめざす魔女としての性格を彼女が帯びることとなる。

魔女であり女教師であるというマージョリーの特異な相貌が、最も象徴的に現れるのは、彼女が動物たちに言葉を教える逸話においてである。子供たちにいじめられているところをマージョリーに助けられ、彼女に「話し、綴り、読むことを教えられた」大烏のラルフは「大文字で遊ぶのが大好き」になり、鳩のトムは「小文字の方を担当する」ようになる。トムの能力は驚くばかりのもので、やがてヘイマーケットの町でも大評判となり、王国中の貴顕紳士たちが言葉を操るこの鳩の見物に訪れたほどであった。(六九－七三頁)この時期の児童書の中に、ジョン・ロックの思想の流れを汲み、一八二〇年代から三〇年代にかけて盛んな社会運動の形態をとることとなる動物愛護の理念や、また、特殊な知恵を持つ動物に対する古い民間信仰と「進歩の時代」における疑似科学の見せかけとが奇妙に混在する「学者動物」(learned animal)と呼ばれる当時大流行していた大道芸が登場していること自体、きわめて興味深いことである。[19] この大道芸については次章でも扱う。しかし、そうした特殊な能力を動物に身に付けさせたのが、女教師であることが、それ以上に注目される。魔女のように「大烏を片方の肩に、鳩を反対の肩に乗せ、ひばりを手にとまらせ、子羊と犬を連れて」学校の回りを歩くマージョリーの姿(一二一頁)(図12)を見かけ、恐慌にかられた者の通告によって、彼女は審問にかけられる。しかし判事を務めるダヴ卿は、その嫌疑そのものを一笑に付し、かつて村で起きた「醜聞」とも言うべき魔女狩りの顛末をながながと語り、「魔女狩りが起きる真の原因は、貧困と老齢、そして住民の無知にある」(一二五頁)と人々に説く。この裁判で、逆にマージョリーの美徳と教会区の人々への貢献があらためて証明され、物語の結末近くで、ようやく彼女の魔女としての性格は、献身的な

122 *The* Renowned Hiſtory *of*

and thought ſhe could never ſufficiently gratify thoſe who had done any Thing to ſerve her. These generous Sentiments, naturally led her to conſult the Intereſt of Mr. *Grove*, and the reſt of her Neighbours; and as moſt of their Lands were Meadow, and they depended much on their Hay, which had been for many Years greatly damaged by wet Weather, ſhe contrived an Inſtrument to direct them when to mow their Graſs with Safety, and prevent their Hay being ſpoiled. They all came to her for Advice, and by that Means got in their Hay without Damage, while moſt of that in the neighbouring Villages was ſpoiled.

This made a great Noiſe in the Country, and ſo provoked were the People in the other Pariſhes, that they accuſed her of being a Witch, and ſent

Mrs. MARGERY TWO-SHOES 123

ſent *Gaffer Gooſecap*, a buſy Fellow in other People's Concerns, to find out Evidence againſt her. This Wiſeacre happened to come to her School, when ſhe was walking about with the Raven on one Shoulder, the Pidgeon on the other, the Lark on her Hand, and the Lamb and the Dog by her Side; which indeed made a droll Figure, and ſo ſurprized the Man, that he cried out,

a Witch!

図12　『靴二つさん』第３版 122–23頁（初版では120–21頁）

女教師のそれに凌駕され、合理化されるのである。

イギリス革命の時代以降、徐々にその活力を失い、主として地方にかろうじて残った魔女信仰[20]は、都市においてもチャップブックのような民衆的な出版物や児童書、あるいは猥雑な市(いち)の大道芸などのなかに存続していた。そのほか、たとえばパントマイムのような新しい都市型の大衆娯楽や、新興中流階級をその読者層に持つ出版物の中でも、魔女は、多くの場合旧弊で胡乱なものとして滑稽な笑いの対象とされることを通して、逆説的にその命脈を保っていた。パントマイムは妖精物語をもとに道化ハーレクインが活躍する芝居であり、一八、一九世紀転換期にその最盛期を見た。ニューベリーの出版物にも、『靴二つさん』のほか、『魔女姉妹、あるいは狂喜と魔法』(一七八二)のようなパントマイムや、一七世紀の有名な予言者を扱った『マザー・シプトン』(一八〇〇)など、魔女に関わるものが見られる。[21] たしかに『靴二つさん』では、理念的には啓蒙主義的な立場が貫かれているが、実は、むしろそのことによって、この物語は迷信や伝統的な教訓性と啓蒙主義的な教育観とが矛盾しつつ混在するこの時期の児童文芸の特質を典型的に示している。

日曜学校運動の熱心な活動家としても知られるセアラ・トリマーによって一八〇二年に創刊された初めての体系的な児童書の書評誌『教育守護者』は、当時の児童文学観が、その確立の初期の段階から、どのように中流階級の政治的利害や社会認識に基づいてかたちづくられたものであるかを知るうえできわめて興味深い。[22] 同誌の創刊号は、『靴二つさん』を取り上げている。トリマーは同作について、下層階級の者たちが上の階級や教会区委員に対する偏見を抱きやすい時代にあっては、郷紳の横暴や教会区民生委員の非情さなどはあまり明らかに描くべきではなく、また姉弟の苦難を社会的罪悪によるものとせずに、二人を単によるべない孤児として描くべきだとしている。さらに筆者は続けて、物語の空想的、あるいは超自然的な世界観に触れ、次のように書いた。

「レディー・ダックリントンの幽霊」の逸話も(見事な語り口で、うまく挿入されてはいるが)、これまでも繰り返し述べてきた理由で、大反対である。動物についての知識もまったく正しくない。また、魔女信仰についての言及が一切なければ、この本はより申し分のないものであったろうと私たちには思われる。[23]

たしかに、『教育守護者』は、反道徳的な子供の本の及ぼす悪影響を一貫して主張し、特に妖精や幽霊、口をきく動物などの不合理で超自然的な存在や、人間の邪(よこしま)な欲望や残酷性などを描く伝承の妖精物語を批判している[24]。

『靴二つさん』に代表されるこの時期の子供の読み物とそれについての批判の特徴的な性格は、魔女、妖精、幽霊、擬人化動物などの超自然の存在が、異教性、残酷性、非合理性、無知、反秩序、反道徳性、非科学性、犯罪などの否定的な価値を担って、危険な対象としての性格と、嘲笑の対象としての性格の間を揺れ動いていることにある。こうした否定的な価値は、古い民衆的な世界像に対するピューリタンや啓蒙的諸勢力による一七世紀以来続いた警戒を経て、トリマーの教育観に見られる、階層性に基づく新しい社会認識によってあらためて付与されたものであると考えられる。すでにそのほとんどが都市の日常生活からは失われ、民衆娯楽や児童文化にかろうじて残る古い信仰や世界観へ反感や嘲笑は、実はこうした文脈の中において理解されるべきものである。

女教師が主人公の童話の誕生

近代的な児童文学の誕生期における主要な課題は、それまでの口承文化を基盤とした子供の文芸の世界を、民衆教育の効率的な展開の中にいかに合理的に位置づけるかにあった。宗教的な教えの本の読書を通して市民としての道徳を身に付けさせることを任務とする慈善学校や日曜学校の課題と共通であった。それはまた、産業社会を支える健全な市民を育成することが要事であるとする社会認識一般が、徐々に素朴な児童書の世界にまで達したことを示している。

『靴二つさん』のマージョリーは、時代の変化の中で叡知が魔女のそれとして敵視され、迫害を受け、その活力を失った結果ぬけ殻になっていた「賢い女性」像のなかに補填された新しい啓蒙的な女性主人公である。そしてそのような女性像を身をもって作り出したのが『女教師』のセアラ・フィールディングをはじめ、『子供の学習』（一七七八）のバーボールド、『教育守護者』のトリマー、『今日の女子教育の方法についての批判』（一七九九）のハナ・モア、国語読本『くもとはえの物語』（一七八三年頃）のエリナ・フェン等であった。[25] いずれも一八世紀末から一九世紀初頭にかけて、実際に日曜学校運動の活動にたずさわった中流階級の教訓物語作家たちである。そして、『女教師』を先駆とし、『靴二つさん』がその典型となった女教師を主人公に持つ児童小説の成立は、これらの作家たちの慈善的な教育観やその実践とともに、それ以降の「児童文学」と「（学校）教育」の強い結びつきの伝統を子供の読書世界にもたらした。

トリマーやラムによって、主として古い時代の世界観を示す魔女の物語としてとらえられていた『靴二つさん』は、近代児童文学史の記述において、むしろ、子供のための小説の誕生を画する作品として、あるいは一八〇〇年前後に隆盛を見る写実的な教訓物語の原型としてとらえられるようになる。しかし、本来この物語では、妖精物語的に魔女を描く部分と、近代的な教養小説として女教師の成長を描く部分とが矛盾しつつ共存しており、その性格がこの物語をすぐれてその時代に固有の読み物としていると言える。

ダックリントン夫人の幽霊の逸話についての「見事な語り口で、うまく挿入されてはいるが」内容的に好ましくないとするトリマーの指摘と、一見それと反対のことを言っているように見える児童文学史家パーシー・ミュアによる物語全体のまとまりのなさや構成のわるさについての指摘[26]とは、必ずしも矛盾しない。どちらも、この物語が民話や妖精物語を原型としながら、その世界観が近代的な教育観や社会認識のもとに断片化され、内容と形式との間にずれを生じさせている性格を正しくとらえているからである。こうした矛盾を含んだ、中途半端とも言える性格が、逆にこの物語をこの時期を代表するすぐれた作品としている。

その後『靴二つさん』はニューベリー以外の複数の版元から出された。次節で紹介するメアリー・ベルソンのものやジェイムズ・ラムスデン・アンド・サン刊のもののほか、ジョン・ハリスの一八二五年刊の韻文のものなどである。しかしこの物語が読まれたのは、せいぜい一八三〇年代ぐらいまでで、ヴィクトリア時代に入るとほとんど姿を消し、一八七四年にウォルター・クレインの大判の絵本（図13）がラトリッジ・シリング・ト

図13　ウォルター・クレイン『靴二つさん』(1874) 口絵

図14　『妖精物語』（[1955]）の「靴二つさん」

イ・ブックの一冊として出版されるまで忘れられていた。小論の筆者の知る限り、最も新しい版は著者不詳、ルネ・クローク画の絵本『妖精物語』（[一九五五]）中の短いものである。孤児マージョリーは、強盗たちが郷紳の家を襲う計画をしているのを聞き、主人にそれを知らせ未然に防ぐ。それによってその家に引き取られ「そこで死ぬまで幸せに暮らしました」と締めくくられる。善良な主人公が幸運をつかむこと以外にもはや妖精物語の要素を備えていないにもかかわらず、この物語は「船乗りシンドバッド」「ヘンゼルとグレーテル」「ジャックと豆の木」「美女と野獣」など、人気の妖精物語とともに収められている。子供向けの教養小説としてではなく、妖精物語の類としてとらえられているのである。[27]（図14）

弟トムの冒険物語

興味深いのは、この物語に、幼くして姉と生き別れた弟トム（トミー、トマス）を主人公とする続編が存在することである。ニューベリーの『靴二つさん』の再版以降の「補章」に付されたもの、およびニューベリー以外の出版者によって出された続編は、いずれも、孤児となった後、姉マージョリーとも生き別れ、船乗りとなった弟の生涯と冒険の物語である。

ニューベリーの『靴二つさん』初版の中で、すでにトムを主人公とした続編の出版の企図が示されていた。第二章で語り手は、弟トムが船乗りになってからの「旅と冒険については、時がきたら続編で紹介する」（一八頁）と述べ、さらに末尾近くで姉の婚礼にトムが駆けつける場面でも、「この若き紳士が成功をおさめ、財を成した」ことについては「近々出版予定の、彼の生涯と冒険の物語で紹介する」（一三一頁）と予告している。しかし実際には、ニューベリーの書店からは、トムの物語は独立した本としては出されず、一七六六年の版の「補章」の中に「現在自伝執筆中の紳士が語る、靴二つのトムについての逸話」という題の一〇ページほどの物語として加えられた。（図15）さらに一九世紀に入ってから、『靴二つさん』の新版の流行に伴って、トムの物語が複数出版されている。これらの続編は、本編の発表から数十年後に、別の版元から、文体や構成に手を加えられた本編の続編として出されたものであり、いずれもニューベリーの『靴二つさん』とは別の作者によって書かれたもので

146 *APPENDIX.*

Tom had provided himſelf with two Guns, a Sword, and as much Powder and Ball as he could carry; with theſe Arms, and ſuch a Companion, it was mighty eaſy for him to get Food; for the Animals in theſe wild and extenſive Foreſts, having never ſeen the Effects of a Gun, readily ran from the Lion, who hunted on one Side, to *Tom*, who hunted on the other, ſo that they were either caught by the Lion, or ſhot by his Maſter; and it was pleaſant enough, after a hunting

APPENDIX. 147

hunting Match, and the Meat was dreſſed, to ſee how Cheek by Joul they ſat down to Dinner.

When they came into the Land of *Utopia*, he diſcovered the Statue of a Man erected on an open Plain, which had this Inſcription on the Pedeſtal: *On* May-day *in the Morning, when the Sun riſes, I ſhall have a Head of Gold.* As it was now the latter End of *April*, he ſtayed to ſee this wonderful Change; and in the mean time, enquiring

K 2

図15 『靴二つさん』第３版 146–47頁

ある。

立身出世の物語でもある『靴二つさん』の結末は、チャールズ・ジョーンズ卿との幸福な結婚であった。弟トムは船乗りとなって成功し、久々に帰国するや姉の婚礼を知り、急遽教会へ駆けつける。今や彼は、「姉のために喜んで巨額の祝いを出せるだけの財産を築いていた」（一三一頁）のである。船乗りとしての冒険への興味と共に、女教師として成功をおさめた姉の生涯に対し、海外で財を形成するこの男性主人公の生涯は、当時の読者たちの関心を引いた。

トムの物語を独立した本として出版されることが予告されながら、結局それが日の目を見ることなく、一七六六年版の「補章」の一部に加えられるだけに止まったことについては、その短い逸話以上に満足のゆくものが、ニューベリーの抱える書き手によって書かれなかったためであろうと考えられている。(28) たしかに、この短い逸話は、アフリカの架空の土地「ユートピア」で主人公が見聞したことを、妖精物語的な展開で描いた面白い物語であり、また成功作『靴二つさん』の、他人の不幸を憐れむ慈善心に富んだ正直者が財を得るという教訓も十分に受け継がれた、まとまりのよいものとなっている。

トムは船乗りとなって何年か航海を続けた後、難破し「ホッテントット」の住む土地に上陸する。そこでみつけた『プリスター・ジョンの国』という本に惹かれ、そこを訪ねる旅に出る。鉄砲を持ち、子ライオンを供とし、奥地へと踏み入る。危険な野生動物の跳梁する森を進むのに、また食料となる獲物を得るにも、ライオンは大いに役立った。「この気高い動物によって養われ、かつ守られなければ、彼はすぐに飢え死にするか、ずたずたに食い殺されていたであろう。」（一四五頁）やがて「ユートピア」という土地に着く。そこで、「五月一日の朝、日の出とともに、私の頭は黄金となる」（一四七頁）と台座に記された立像を見つける。農夫に尋ねると、それはかつて「真の友」を求めて世界を旅したアラビアの哲人が建てたものであるという。例年どおり、五月一日には、立像の頭が黄金に変わるのを期待して多くの部族の者たちが集まったが、トムがライオンを従えて現れると、百獣の王を小犬のように操るその姿に恐れをなし、みな逃げていった。日が昇っても変化が起きなかったため、台座の言葉には何か謎が含まれているのだろうと察したトムは、影の長さを測り、頭の位置を掘ると、黄金の詰まった銅の箱があった。蓋には、黄金はこの謎を解いた者のものであること、その恵みを人々の幸福のために用いよ、それを利己に用いるならば悲惨な目にあうであろう、といったことが記されていた。トムは、その教えにうたれ、その通りの使い方をすることを誓う。実は、篤実の徒であった哲人は、商売に成功し財を成した。しかし、残す縁者もないことから、「真の友」を求めてアラビア、ペルシア、インド、リビア、ユートピアを旅し、多くの友を得たが、いずれも不実であった。やっとユートピアの山岳地で賢者と呼ばれる人物に出会うが、やはり裏切られる。哲人は、真に誠実な者が現れ、謎を解き、人々の幸福のために使われることを期待して、黄金をそこに埋めたのである。物語は、次のような教訓で締めくくられる。「われわれの手にする黄金は、それを用いて善行をすべく貸し与えられたものにすぎない。すべては、神の御手より授かったものであり、苦境にある者はみな、その分け前を得る正当な資格を持つのである。」(一五四頁)

一九世紀に入ってニューベリーのものとは別に出版された弟の物語でも、彼が船乗りになって、富を得て、やがて姉のもとに帰還するという筋は変わらない。孤児を主人公とする教訓物語『みなし子』(一八一二)などで知られるクエーカー教徒の作家メアリー・ベルソン(後にメアリー・エリオット)は、一八一五年に『現代靴二つさん』を出版した。物語としての冗漫さや表現の古さを廃し、あらためて『靴二つさん』を出版するという流行の先駆けであった。序文で「表現や、描かれた習俗を少し現代風にすれば、彼女の物語は、現代の読者により受け入れやすいものとなるであろう」(iii頁)と述べられている。そしてその三年後に『靴二つのトマス――「現代靴二つさん」続編』(一八一八)が出されれた。(29)

ベルソンの版では、トマスは最初の航海でアフリカ北西岸沖のマデイラ諸島を経てジャマイカへ赴くが、そこで船長や他の船員が熱病で死に、取り残される。幸い黒人の夫婦に拾われ、世話を受ける。やがてそこでの暮らしにもなじみ、店員として働くようになった頃、姉マージョリーが教職に就き暮らしていることなどを風聞に知る。傷ついた小鳥の手当ての腕が買われたり、読み書きを学んだりといった幸福な日々もつかの間、白人に対する黒人たちの反乱に巻き込まれ、親代わりの夫婦や友人等と惜別し、帰国の航海に出ることとなる。それからは文字どおり波瀾万丈で、アメリカの海賊に襲われたりしながら、ようやくイングランド南西部トーベイに至るが、そこで水兵強制徴募隊に採られ軍隊に送られる。次の航海では、地中海でアルジェリアの海賊に襲われ、チュニジアで奴隷として売られるが、主人の孫の親友となり解放される。この善良な青年がトマスに財産を残して急死する。トマスはそれを元手に商売を起こして財を成し、イギリスへ帰国する。帰国するや、姉の婚礼を知り、急遽馬車で駆けつける。(30)

また、グラスゴーの児童書の版元ジェイムズ・ラムスデン・アンド・サンの出した『靴二つさんの物語とその弟トミーの冒険』(〔一八一八年あるいはそれ以後〕)(図16)には、「靴二つのトミーの冒険」一〇ページが別に加えられている。著者名は示されていない。マージョリーの物語はニューベリーのそれの三分の一程度の長さに短縮されている。トミーの物語の方は、ニューベリーの補章のものとよく似ており、また随所に借用した表現が認められる。ほぼ同じ時期に発表されたベルソンのものとは、船乗りになり富を得て帰国するという骨子以外は、筋のうえでのおもだった重複はない。(31)

ラムスデンの版においては、マージョリーの婚礼の後、姉に促されて、トミーは航海に出てからの

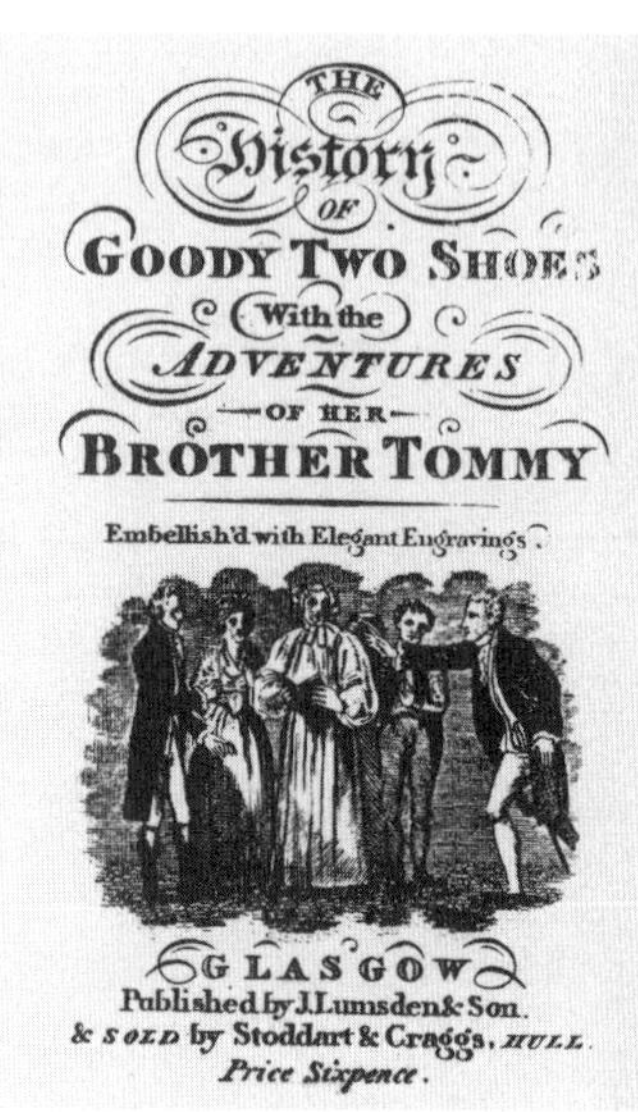

図16　ラムスデン版『靴二つさんの物語とその弟トミーの冒険』（[1818年あるいはそれ以後]）口絵と扉

体験を語る。最初の航海の際、アフリカ沿岸で大嵐に遭い、一人生き残る。原住民の「インディアン」に捕らえられ、集落へ連れて行かれる。そこで人食いにあうところを、かちかちと「鼓動」を打つトミーの懐中時計に恐れをなし、それを操るトミーに尊敬の念を持った原住民たちは、トミーを丁重に扱うようになる。彼らと狩りに出て、のちに旅の友となる子ライオンを捕まえたりして過ごした後、武具を身に付け、ライオンを連れてヨーロッパ船の着く港をさがす旅に出る。やがてトミーはある集落で、かつて「真の友」をさがして「ユートピア」など世界を旅したというアラビアの哲人が、真の善人の手にわたるようにその地に埋めた黄金を見つける。トミーはまず、そこで世話になった貧しい農夫の家族のためにその財宝を使う。ライオンを亡くし悲しむが、旅を続け、ついにある港でイギリス船に出会う。すべての財宝を積み込み、無事イギリスの港に到着する。マージョリーの住む町から遠からぬその港町にも彼女の名声は轟いており、その婚礼の話題を耳にしたトミーは、四輪馬車を駆って姉のもとへ急ぐ。その後トミーはヨークの町で慈善的な生活を送り人々に尊敬される。

イギリス帝国の辺境への憧れと地理

海洋冒険譚は、『ロビンソン・クルーソー』（一七一九）や『ガリヴァー旅行記』（一七二六）の児童版やチャップブック版などによって、一八世紀半ばから初期児童書における人気のジャンルとなっていた。また、「アラビアン・ナイト、あるいは千一夜物語」の名で知られた妖精物語など、遠い異国への憧れを喚起するいろいろな子供の読み物の流行の中にトムの物語を置くこともできる。(32) たしかに、アフリカの原住民を「インディアン」と呼んだり、エキゾチックな響きのある地名として、ペルシアやリビアと並んで「ユートピア」が挙げられていたりすることからもわかるように、トムの物語における世界地理の認識は不正確で幼稚なもので、むしろ妖精物語的なものである。しかし、こうした空想的な旅行物語が、これらの地域へのエキゾチシズムを子供たちの中に育てていたことも事実であった。

一方、一八世紀末は、イギリス帝国の海外発展に伴って、人々の間に、世界各地域への関心や知識が広まり始めた時代であった。通商経済は、拡張しつつあった領土や勢力圏との貿易によって大発展を続けており、一八世紀の間に商船の数はおよそ三倍になった。外国市場向け販路の拡大により、輸出は一七八〇年から世紀末までの二〇年ほどの間に二倍以上に増えている[33]。一七九二年に中国大使としてジョージ・マッカートニー卿が派遣された。初代インド総督ウォレン・ヘイスティングズの強権的統治に対する政治的弾劾と審問は、一七八八年から九五年まで続く。アメリカ革命期をはさみ、大西洋通航はかねてより頻繁に行われていた。また、一七九〇年代まで、西インド諸島の奴隷プランテーションから砂糖や綿花が盛んに搬入されていた。さらに、一九世紀に本格化するキリスト教各派の海外宣教活動も、その緒についた時期であった。「近代宣教の父」と呼ばれるバプティストのウィリアム・カリーが『異教徒を改宗させるために手段を用いるキリスト教徒の責任についての調査』[34]を著わしたのが一七九二年、イングランド国教会系のアフリカ・東方宣教協会(The Society for Missions to Africa and the East)の創設が一七九九年のことであった。

こうした勢力圏の拡大に伴う新世界への関心一般が、子供の知識の世界に波及するのも当然のことであった。イギリス帝国の各地域や、そこでの人々の暮らしを紹介する地理の本が徐々に見られるようになる。しかし、当初それらは、世界地理の本格的な知識を与えると言うにはほど遠いものがほとんどで、多くは、ごく簡単で不十分な記述や、多くの場合実際にはその地を見聞していない画家による素朴な挿絵から成るものであった。一八二〇年頃にはA・K・ニューマン社が世界各地についての簡潔な紹介をする挿絵入りの『地理の初歩』(一八二〇年頃)を出しており、また一八三〇年代からは、歴史、地理、科学の入門書「ピーター・パーリー」シリーズの比較的詳しい世界地理の読本なども人気を得る。[35] ピーター・パーリーの『現代地理入門』（一八三八）（図17）には、トムの冒険譚にも認められる、ライオンというアフリカの見慣れぬ猛獣に対するロマン主義的なエキゾチシズムを含んだ、次のような記述が見られる。

アフリカ探検中のある夕暮れ、われわれ一行は、巨大なライオンの襲撃にあった。ライオンはホッテントットに襲いかかると、その体を口にくわえ、ゆっくりと近くの茂みに運び去った。われわれは恐怖におののいて、その茂みが月光に照らされた砂地の上に落とす濃い影を、痛々しい気持ちで見つめていた。その茂みの中で何が起きているかは、あまりにも明らかであったからである。[36]

一方、本格的な地理の教育の萌芽はすでにJ・ゴールドスミスの『地理入門』（一八〇五．あるいはそれ以前）には見られた。ただしピーター・パーリーのものより詳しい同書中のアフリカの地図でも、大陸南部の広い地域が「ヨーロッパ人による未踏査地」となっている。学校の教科としての地理が成立し、多くの教科書が見られるようになるのはヴィクトリア朝時代に入ってからである。[37]

さらに、海外発展するイギリス帝国のフロンティアについての認識を子供たちに与えたのは、これらの地理の本だけではなかった。流行の探検家の航海記や、大西洋間奴隷貿易廃止運動のパンフレッ

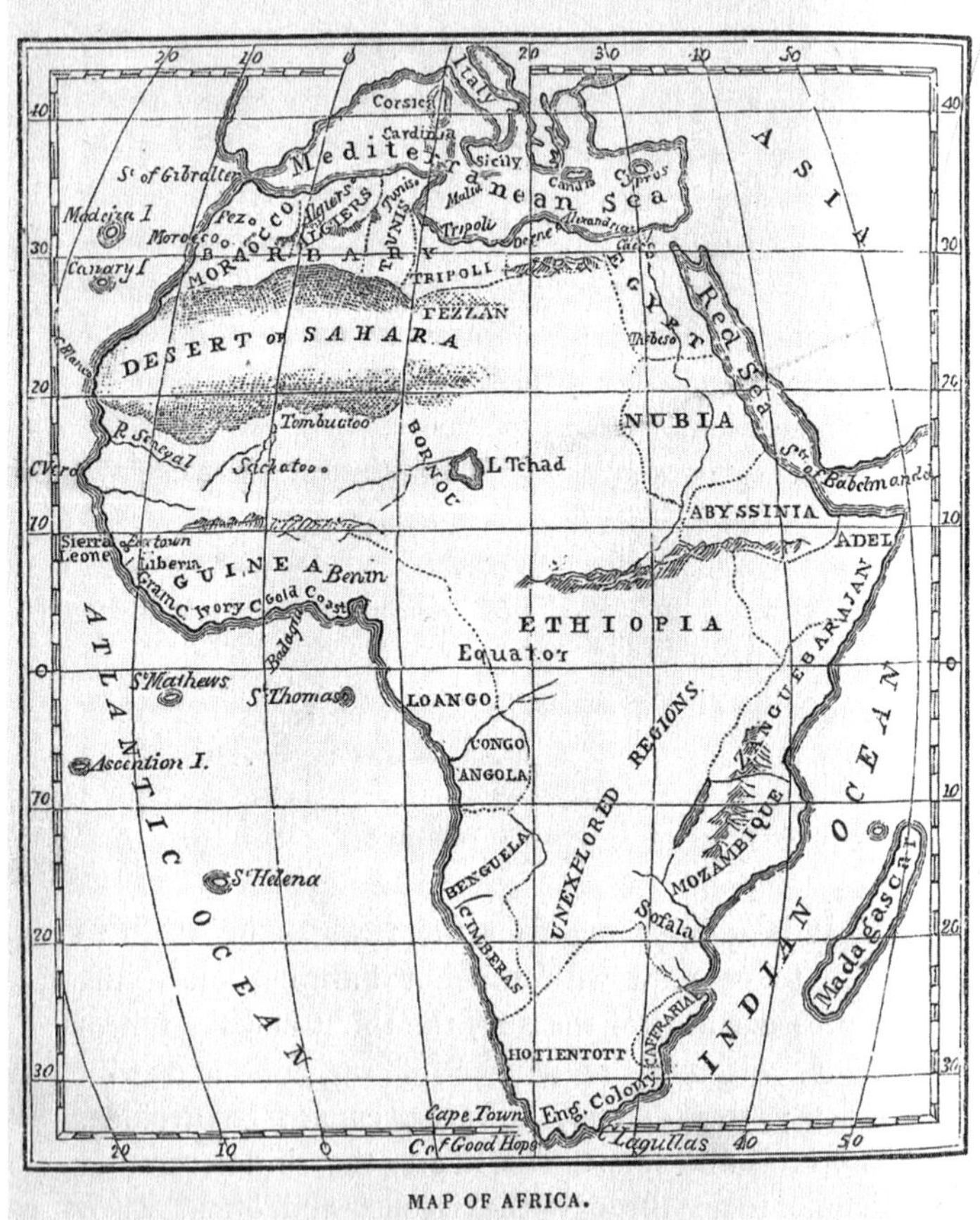

図17　ピーター・パーリー『現代地理入門』(1838) 南アフリカ中央部が未踏査地となっている。

トなど、さまざまな媒体を通して、子供たちの世界地図は拡大した。ジェイムズ・クックの太平洋航海記は、一七七〇年代から八〇年代にかけて数多く出版され、たちどころに国中の巡回文庫の人気の本となっていた。少年版のキャプテン・クックの航海記がジョン・マーシャル社から出版されたのは、一八〇〇年であった。また、西インド諸島、アフリカ、新大陸の黒人たちの悲惨な生活を描くことで反奴隷制運動へと子供たちやその両親の関心を向けることを目的とし、合わせてその地域の自然風土、産業などを紹介する子供向けの出版物は、運動を進めるさまざまな慈善団体によって大量に頒布されていた。(38)

『靴二つさん』の続編を、拡大する帝国のフロンティアをめぐるさまざまな子供の読み物が人気を得ていたことにあやかって出版されたものと考えることもできる。帝国の通商政策や植民地政策のめまぐるしい変化のなかで、それらの地域に対する関心や知識は、以前よりもはるかに高まっていた。弟が船乗りになって海外で成功し帰郷するという物語が、当初の構想からほとんど半世紀近くたってより現実味を帯び、この時期にあらためて別の複数の筆者によって発表されたことは、たしかにそうした関心の高まりによって理解される。しかし、ニューベリーの版が登場した段階から、トムの物語は、教訓的な児童文学の言説に、イギリス帝国を舞台とする「博愛主義的慈善活動」という主題が結びついたものであることに、その特徴があった。

慈善と冒険——二つのイギリス近代

ベルソンのトマスは、痛めた小鳥の脚に当て木をして見事に治療し、獣医として評判になる。また、読み書きの勉強も怠らない。動物の愛護、読み書き能力の獲得は、言うまでもなく、姉マージョリーが孤児としての不幸な境遇を乗り越え、人格と知識の力で人々の評価を得て、教師として頭角を現わす基礎となったものである。この時代の児童文学の中で、慈善と教育が結びつくのは、教育が、篤志家や社会活動家たちの民衆に対する慈善的行為として発展した事情と対応する。一八世紀の民衆教育の中核をなす慈善学校は、イングランド国教会系の教育普及組織であるキリスト教知識普及協会（The Society for Promoting Christian Knowledge）、あるいはアイザック・ウォッツ等を主唱者として非国教各派信徒を主体に建設・運営されていた。また、ラムスデン版で、母ライオンを惨殺する原住民と対照的に幼い猛獣を可愛がるトミーには、動物虐待防止運動の影響を認めることができる。この場合は動物が相手だが、「医療」の提供も、当時の博愛的な慈善活動の要（かなめ）であった。また、アラビアの哲人が「真の友」を求める逸話で、トミーが財宝を得て貧しい農夫に施しをする行為は、トミーの美徳の勝利と慈善心を描くものである。

続編で弟が姉と同じような方法で自らを陶冶してゆく姿は、もちろん、姉の物語を想起させ、姉の物語の続編としての一貫性を示す。自らを磨き、世話になった大人たちに報いる努力家として成長する姿は、姉弟二人に共通したものである。篤実さと自己修養は、マージョリーを教育者としての成功へ導き、一方トムを海外交易での成功へと導く。『靴二つさん』では、貧しい境遇から身を起こし、努力によって教育と慈善心を身につけた少女の輝かしいゆく末として、勃興する民衆教育での成功が用意されていた。それに対応するものとして、その続編の少年主人公に用意されたのは、船乗りとしての冒険による未知の世界の見聞と、拡大する海外交易での商業的成功であった。

読み書き能力を身につけたマージョリーは、努力と慈善心によって、近代的な女教師へと成長する。それは、知識と信仰と労働を軸として設計されるこの時代の下層階級出身の女性の理想的な生涯の一つの典型であると言える。一方、トムの物語では、読み書き能力と世界についての知識、動物虐待防止の精神、そして主人公と出会う人々の善意が、未知の国、エキゾチックな世界での冒険の果てに、男性主人公に幸運をもたらす。すでにニューベリー版の本編で、マージョリーが語る苦労人ラヴウェル氏とその一家の挿話も、善行が海外交易による富と幸福をもたらすことを物語るものであった。ラヴウェル氏は船主の仕事を受継ぐが、交戦中のフランス船による拿捕や、海外の取引相手の破産などで窮地に陥り、一時は一家離散の憂き目を見る。しかし、努力と信仰と人々の善意によって一家は救われ、再び幸福を得る。長さにして一三ページのこの挿話の中にも、離散した家族の行き先として、バルバドス、東インド諸島、スペイン領マニラ諸島といった、イギリス帝国の勢力拡大期にようやく一般に知られるようになったいくつものエキゾチックな地名が登場する。

通商経済の拡大と、特に植民地との商品流通の加速化の中で、不幸な生い立ちの主人公の努力と善意が報われて海外で成功するというこの物語は、子供たちには現代的で、魅力的なものであった。思いがけない幸運な結末を迎える男性主人公の冒険の舞台として、帝国のフロンティアは格好のものであった。それは、言わば妖精物語的なエキゾチシズムと、帝国の勢力圏についての世界地理の知識とが交錯する、この時代の子供たちの世界像を象徴するものであったからである。時計を扱うことに驚き、「自分たちより高等な存在である」（ラムスデン版、四三頁）とトミーの前にひれ伏す原住民の戯画化した描き方には、活発化する宣教活動の時代を反映したキリスト教徒中心の世界観が認められる。子供を守ろうと激しく抵抗する雌ライオンを殺す原住民と、その子ライオンを愛護するトミーの対比にも、未開と文明のわかりやすい対比がある。この物語の読者の素朴な世界像の中では、トミーの行為は、イングランドの生産品を植民地などの遠隔地に輸出する経済活動や、原住民の文化的あるいは社会的な習慣をキリスト教精神にのっとった規範に適合させる宣教活動と重なる。(39)

トムの冒険航海の物語は、その出版の三年後に、キャプテン・クックによって、現実のものとなる。クックの最初の航海は一七六八年から七一年にかけて行われ、その後七二年から七五年、七六年から七九年と続いた。貧しい階層の出でありながら、自らの美徳と実力とで偉業を成し遂げたクックは、伝記、芝居、絵画、詩などさまざまな媒体を通して、文字どおりのヒーローとなる。同時に、クックは、人種の多様性の尊重によって、奴隷制廃止運動家の模範としてもとらえられることとなる。(40)トムの物語は、クックの英雄的な伝記物語に先だって、帝国の植民地拡大政策に、キリスト教知識の普及による博愛主義的な行為としての正当性を与えたものであると言える。

女の子と男の子の立身出世物語

『靴二つさん』は、近代社会の中で自立し、社会化してゆく女性の生き方を、教師としての成功という、当時の貧しい女性に許された典型的な立身出世の物語として描いた女の子の教養小説である。子供のための最初の写実主義的小説の主人公が女性であったことは興味深い。女性主人公と読者との関係から、初期の児童文芸における読者のジェンダーによる分化の例を見ることができるからである。この作品の読者の詳しい性別分布を知ることはできない。しかし、少なくとも一九世紀に入ってからの新版の読者の多くが女の子であったことは、その時期に男の子向けの海洋冒険物語的な装いの続編が出されたことからも明らかである。

すでに論じたように、マージョリーの物語は、古い妖精物語的な美徳の勝利を謳う語りと、新興中流階級や労働者階級の勤勉と篤実による社会的上昇への願望を表現する市民小説的な語りとの矛盾を特徴とする。同様のことは、トムの物語についても言える。美徳が実を結ぶ妖精物語的な世界観は、海外交易での成功への野心と結びつけられ、それが海外への憧れの動機となっている。そして、本編、続編の双方に見られるこうした内容と語りの矛盾や不整合とも言うべきものをその接点でつなぎ止めるのが、一八世紀に民衆児童教育運動を推し進めたピューリタン伝来の教訓主義と慈善の精神の「普遍性」であった。

これらの二つの物語においては、慈善の精神が、妖精物語の美徳と同様、時代を超越した普遍的な価値を持つものとして示されている。『靴二つさん』では貧しい女性主人公の美徳の勝利が、女教師としての成功と富豪との結婚という、教育と慈善心による世俗的な幸運に置き換えられ、妖精物語の普遍性は、博愛主義に基づく慈善行為の普遍性へと転化されている。トムの物語では、慈善に基づく教訓主義は、イギリス帝国のフロンティアを冒険旅行する主人公や、彼に啓蒙された原住民たちの行動を支える原理として普遍化される。そして、そうした普遍化によって、発展する帝国の内外における、勤勉、篤実、勇気などを基本としたさまざまな博愛主義的行為や、その結果としての社会的な「成功」にも、普遍性が与えられるのである[41]。

注

（1） [John Newbery], *The History of Little Goody Two-Shoes; Otherwise Called, Mrs. Margery Two-Shoes,* (London, 1765; repr. New York, 1977). 復刻版には Michael H. Platt の序言がある。新たな内容の加えられた第三版の復刻版は *Goody Two-Shoes: A Facsimile Reproduction of the Edition of 1766* (London, 1882). Charles Welsh の序論がある。引用に際しては、これら二冊の復刻版を適宜参照した。なお図版は第三版による。

（2） John Rowe Townsend, *Written for Children: An Outline of English-Language Children's Literature*, 3rd edn (London, 1987), p.19（J・R・タウンゼンド『子どもの本の歴史――英語圏の児童文学』上、高杉一郎訳、岩波書店、一九八二、三四頁）。

（3） [John Newbery], *Mother Goose's Melody* (London, *c.* 1760).

（4） F. J. Harvey Darton, *Children's Books in England: Five Centuries of Social Life*, 3rd edn, rev. by Brian

Alderson (Cambridge, 1982), p. 128-31.

（5）*The Letters of Charles and Mary Lamb*, ed. by Edwin W. Marrs, Jr., 3 vols (Ithaca, 1975-78), II (1976), p. 81.

（6）Darton, p. 128.

（7）Cornelia Meigs and others, *A Critical History of Children's Literature: A Survey of Children's Books in English, Prepared in Four Parts under the Editorship of Cornelia Meigs* (New York, 1953; revised edn.1969), p. 349; Platt の序言、ix頁を参照。

（8）Darton, pp. 129-31および一九七七年の復刻版の序論を参照。

（9）本章は初出一覧に示した二本の紀要論文を改稿・統合し、拙論「フランス革命論争と妖精物語論争——社会改革期のイギリスにおける子供の読書」（二〇〇一年度筑波大学博士（文学）学位請求論文）に第一章として収めたものに加筆したものである。拙論（一九九〇）に続く時期のこの作品の研究に、Kazuya Sato, 'John Newbery's Works: A Historical Study'（『東京大学教養学部紀要』第二四輯、一九九二年、二七－四八頁）、三宅興子『イギリス児童文学論』（翰林書房、一九九三）の『くつ二つちゃん』（初出一九九二）の章がある。

（10）作者についての諸説については、Welsh の序論、Julian Roberts, 'The 1765 Edition of *Goody Two-Shoes*', *British Museum Quarterly*, 29 (Summer, 1965), 67-70; S. Roscoe, *John Newbery and his Successors 1740-1814: A Bibliography* (Wormley, 1973), pp. 135-37; Humphrey Carpenter and Mari Prichard, *The Oxford Companion to Children's Literature* (Oxford, 1984), pp. 213-15（ハンフリー・カーペンター、マリ・プリチャード『オックスフォード世界児童文学百科』神宮輝夫監訳、原書房、一九九九、二二二－二二三頁）、Geoffrey Summerfield, *Fantasy and Reason: Children's Literature in the Eighteenth Century* (London, 1984), pp. 93-100; *Little Goody Two-Shoes and Other Stories Originally Published by John Newbery*, ed. by M. O.

Grenby (London, 2013) の序論などによる。ゴールドスミス作とする説は上掲の Welsh の序論以降よく知られるようになった。Washington Irving, Charlotte M. Yonge, William Godwin および Thomas Bewick の娘たちもこの物語とゴールドスミスとのつながりを肯定する発言をしていると紹介している。Welsh はニューベリーの後継者の一人で、ニューベリーの伝記 *A Bookseller of the Last Century: Being Some Account of the Life of John Newbery and of the Books He Published with a Notice of the Later Newberys* (London, 1885) の著者でもある。共作の可能性の指摘は Grenby による。

（11） Oliver Goldsmith, *The Vicar of Wakefield* (London, 1766; repr. 1979), p. 101.

（12） M. G. Jones, *Hannah More* (Cambridge, 1952), pp. 154–55を参照。

（13） Charles and Mary Lamb, *Mrs Leicester's School: The History of Several Young Ladies Related by Themselves* (London, [n.d.]). Darton, p. 129を参照。

（14） 一九七七年版の序論、ｉｘ頁も見よ。

（15） 民衆児童教育運動とアダム・スミスらの社会思想との関わりについては、A. E. Dobbs, *Education & Social Movements 1700–1850* (London, 1919; repr. New York, 1969); Gertrude Himmelfarb, *The Idea of Poverty: England in the Early Industrial Age* (London, 1984), chap. II などを参照。また Summerfield は初版出版以降に見られたさまざまな社会的変化を反映した市民主義的な改変が施されている一八〇四年の Benjamin Tabart 版には、物語の中にモアやトリマーの学校についての言及があることを紹介している。Summerfield, pp. 97–98.

（16） [Sarah Fielding], *The Governess; or, Little Female Academy. Being the History of Mrs. Teachum, and her Nine Girls. With their Nine Days Amusement* (London, 1749); Henry Fielding, *Tom Jones* (London, 1749).

（17） マージョリーは 'trotting Tutoress' (p. 28) または 'Principal of a Country College' (p. 61) とも呼ばれている。John Harris の一八二五年の韻文の版では 'Walking governess' (p. 26) あるいは 'Governess to the Village

School' (p. 58)。'governess' の概念とその歴史的変化については Carpenter and Prichard, pp. 215-16（邦訳、一四三－四四頁）を参照。

(18) この物語にその名残を留める初期近代における「賢い女性」と魔女狩りの社会的基盤との関係をめぐっては、Brian Easlea, *Witch Hunting, Magic and the New Philosophy: An Introduction to Debates of the Scientific Revolution, 1450-1750* (Brighton, 1980)（ブライアン・イーズリー『魔女狩り対新哲学——自然と女性像の転換をめぐって』市場泰男訳、平凡社、一九八六）の特に第一章を参照。

(19) 動物愛護の理念の導入など、ニューベリーの児童書におけるロックの影響については Samuel F. Pickering, Jr., *John Locke and Children's Books in Eighteenth-Century England* (Knoxville, 1981), chap. 3を参照。児童書に描かれた「学者動物」については、次章、および拙著『マザー・グースとイギリス近代』（岩波書店、二〇〇五）第四章を見よ。

(20) Keith Thomas, *Religion and the Decline of Magic: Studies in Popular Beliefs in Sixteenth and Seventeenth-Century England* (London, 1971; repr. Harmondsworth, 1978), pp. 797-98（キース・トマス『宗教と魔術の衰退』上下、荒木正純訳、法政大学出版局、一九九三、下、九八一－八二頁）を参照。

(21) [John Newbery], *The Sister Witches, or Mirth and Magic* (London, 1782); [Newbery], *Mother Shipton* (London, 1800). パントマイムの主人公としての魔女とおもに一九世紀初頭の民衆文化については前掲の拙著第１章を見よ。

(22) *Guardian of Education*, 5 vols (London, 1802-06). Mary F. Thwaite, *From Primer to Pleasure in Reading: An Introduction to the History of Children's Books in England from the Invention of Printing to 1914 with an Outline of Some Developments in Other Countries* (London, 1963; repr. Boston,1972), p. 60を参照。『教育守護者』については本書第五章も見よ。

(23) *Guardian of Education*, I (1802), 431.

(24) 『教育守護者』第三号（一八〇三）でトリマー等が展開した Charles Perrault や Mme d'Aulnoy の童話などニューベリーが出版した大陸起源の妖精物語に含まれる残酷性や不道徳性に対する批判はよく知られる。本書第五章、および前掲の拙著第三章を見よ。

(25) Mrs [Anna Letitia] Barbauld, *Lessons for Children* (1778); Hannah More, *Strictures on the Modern System of Female Education*, 7th edn (London, 1799); [Lady Eleanor Fenn], *Cobwebs to Catch Flies* (London, [*c*. 1783]).

(26) Percy Muir, *English Children's Books 1600 to 1900* (London, 1954), p. 68.

(27) [John Harris], *Goody Two-Shoes; or, The History of Little Margery Meanwell, in Rhyme* (London, 1825); Walter Crane, *Goody Two-Shoes* (London, 1874); [Anon.], *Fairy Stories: An All-Colour Picture Book* (London, [1955]).

(28) Roberts, p. 70.

(29) [Mary Belson (Mary Elliott)], *The Orphan Boy or, A Journey to Bath* (London, 1812); [Mary Belson (Mary Elliott)], *The Modern Goody Two-Shoes; Exemplifying the Good Consequences of Early Attention to Learning and Virtue* (London, 1815); Mary Belson, *The Adventures of Thomas Two-Shoes: Being a Sequel to that of 'The Modern Goody Two-Shoes'* (London, 1818).

(30) 物語の要約は Marjorie Moon, *The Children's Books of Mary (Belson) Elliott: Blending Sound Christian Principles with Cheerful Cultivation* (London, 1987), pp. 1–2を参照。

(31) [James Lumsden], *The History of Goody Two Shoes with the Adventures of her Brother Tommy* ([1818 or after]).

(32) Daniel Defoe, *The Life and Strange Surprising Adventures of Robinson Crusoe, of York, Mariner* (London, 1719); [Jonathan Swift], *Travels into Several Remote Nations of the World by Lemuel Gulliver, First*

a Surgeon, and Then a Captain of Several Ships (1726); *Arabian Nights' Entertainments*, or *The Thousand and One Nights*.

（33）Roy Porter, *English Society in the Eighteenth Century*, rev. edn (London, 1990), pp. 189, 312-13（ロイ・ポーター『イングランド18世紀の社会』目羅公和訳、法政大学出版局、一九九六、二七五、四五九頁）を参照。

（34）William Carey, *An Enquiry into the Obligations of Christians to Use Means for Conversion of the Heathens* (London, 1792).

（35）[Anon.], *The Elements of Geography* (London, [c. 1820]). Joyce Irene Whalley, *Cobwebs to Catch Flies: Illustrated Books for the Nursery and Schoolroom 1700-1900* (Berkeley, 1975), chap. 8を参照。

（36）Peter Parley, *A Grammar of Modern Geography* (London, 1838), pp. 219-20.

（37）J. Goldsmith, *An Easy Grammar of Geography. Intended as a Companion and Introduction to the Geography on a Popular Plan for Schools and Young Persons* (London, 1805). Norman Graves, *School Textbook Research: The Case of Geography 1800-2000* (London, 2001), chaps. 2-4を参照。

（38）反奴隷制運動のなかに出版された児童書については、本書第五章、および前掲の拙著第七章を見よ。

（39）海外宣教活動については、Stephen Neill, *A History of Christian Missions*, 2nd edn (London, 1990) を参照。

（40）Kathleen Wilson, 'The Island Race: Captain Cook, Protestant Evangelicalism and the Construction of English National Identity, 1760-1830', in *Protestantism and National Identity: Britain and Ireland, c. 1650-c. 1850*, ed. by Tony Claydon and Ian McBride (Cambridge, 1998), pp. 265-90 (pp. 270-72) を参照。

（41）M. O. Grenby は、この時期の児童書の出世物語に認められる polemic egalitarianism に論及している。*The Child Reader 1700-1840* (Cambridge, 2011), pp. 256-57. 冒険物語の通史は Dennis Butts, 'The

Adventure Story', in *Stories and Society: Children's Literature in its Social Context*, ed. by Butts (London, 1992), pp. 65-83を、ヴィクトリア時代以降における冒険物語と帝国主義との関わりについては *Imperialism and Juvenile Literature*, ed. by Jeffrey Richards (Manchester, 1989) を見よ。

第四章　「学者犬」の童謡

――セアラ・キャサリン・マーティン『ハバードおばさんとその犬の滑稽な冒険』（一八〇五）他

擬人的な動物の童謡

『ハバードおばさんとその犬の滑稽な冒険』（以下、『ハバードおばさんとその犬』と略記）[1]（図18）は、児童書の出版でよく知られるジョン・ハリスによって一八〇五年に出された全一四節の唄である。この小冊子は出版と同時に大評判となり、ハリス自身、ある出版物のなかで、[2]出版後数か月の間に「一万部以上も売れた」と記している。たしかに、翌一八〇六年までに二〇刷を重ね、さらに同年、『ハバードおばさんとその犬後編』と『続ハバードおばさんとその犬』が同じハリス社から出版された。[3]詩人ジョン・ウルコットが、これらの唄への人々の熱中ぶりを批判したのも、その人気が絶頂期をむかえた同年のことである。その後も、この唄の人気は衰えることを知らず、ブロードサイド（紙の片面に唄などを印刷したもの）やチャップブックなどの大衆的な出版物でよく知られる出版者たちによっ

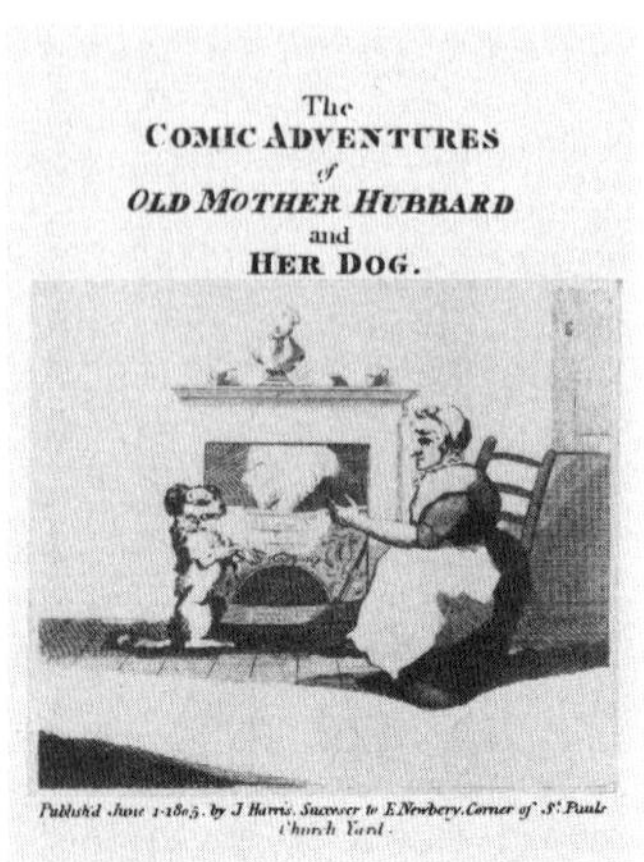

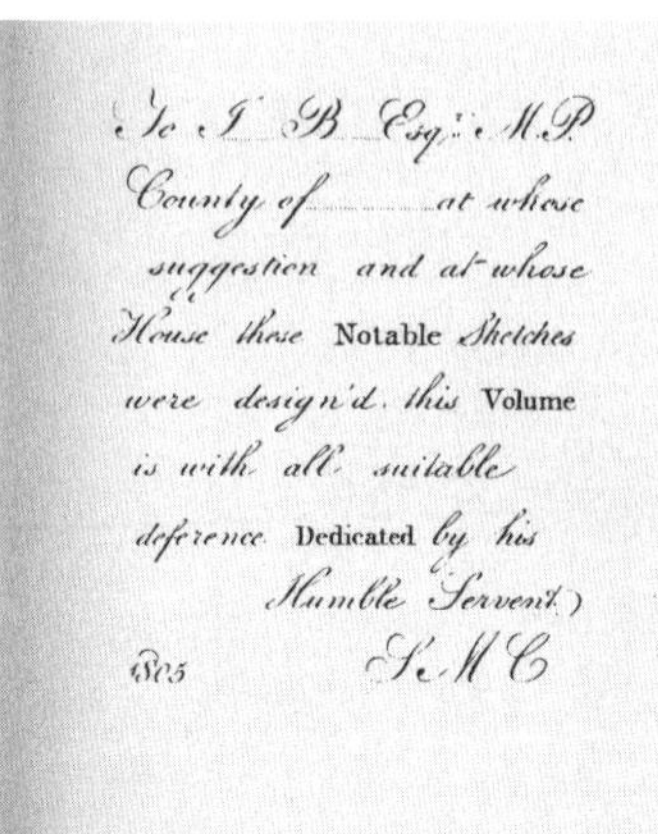

図18　ハリス版『ハバードおばさんとその犬』（1805）扉

て出され続け、また海賊版はイギリス国内はもとより、アメリカでもいたるところに見られた。当時からこの唄には政治諷刺が含まれていると考えられており、それが大流行の一因であったとされてきた(4)。本章では、今日では伝承童謡としてのみ知られるこの特異な民衆向けの小冊子を取り上げ、この時代の民衆文芸における老女と動物の表象の政治文化との関わりについて考察を加えたい。

『ハバードおばさんとその犬』とその原作者

ハバードおばさん
戸棚へ行った、
犬に骨をやるために。
けれどそこへ行ってみりゃ
戸棚のなかはからっぽだった

それで犬はなにももらえなかった。

ハバードおばさんパン屋に行った
犬にパンを買うために。
けれど戻ってみると
　犬は死んでいた！

ハバードおばさん葬儀屋行った
犬に棺桶買うために。
けれど戻ってみると
　犬はげらげら笑ってた。

ハバードおばさんきれいな皿をとってきた
犬にモツをやるために。
けれど戻ってみると
　犬はパイプを吸っていた。（第一－四節）

ハバードおばさんきちんとおじぎ
犬もおなじくきちんとおじぎ
おばさん言った、あなたのしもべ、
犬は答えて、わんわん。（第一四節）

Old Mother Hubbard
Went to the Cupboard,
To give the poor dog a bone.
When she came there
The Cupboard was bare,
And so the poor dog had none.

She went to the Bakers
To buy him some bread;
When she came back
The Dog was dead!

She went to the Undertakers

To buy him a Coffin;
When she came back
The Dog was laughing.

She took a clean dish
To get him some tripe;
When she came back
He was smoking a pipe. (vv.1–4)

The Dame made a Courtesy
The Dog made a Bow,
The Dame said your Servant
The dog said, Bow. Wow. (v. 14)

この唄の作者セアラ・キャサリン・マーティンは、イギリス海軍会計監査官ヘンリー・マーティン卿の娘で、後にウィリアム四世となるウィリアム・ヘンリー王子の初恋の相手であったと言われる。一八〇四年に、後に義理の弟となるジョン・ポレクスフェン・バスタード議員のデヴォンシャー、キトリーの屋敷に滞在中にこの「戯れ唄」(stupid little rhyme. バスタードの言葉と伝えられる)を書き、その家の家政婦をモデルにハバードおばさんの素描をしたと伝えられている。『ハバードおばさんとその犬』初版の巻頭に見られるバスタードへの献辞には、「下院議員、J・B氏へ。これらの注目すべきスケッチは、氏のお勧めにより、氏のお屋敷にて思いつかれたものであり、氏の僕(しもべ)たるS・M・Cより氏に謹んで本書を捧げる」とある。

この献辞のなかで、献呈される相手の下院議員の名が意味ありげにイニシャルで示されている上に、その人物がいかにも人を食ったこの唄を書くよう慫慂してくれたと謝意が述べられていることによって、この唄は政治的な立場にある特定の人物を揶揄するための戯れ唄であるとの憶測が大流行の一因であったと考えられている。

「ハバードおばさん」というキャラクターそのものは口承文芸の世界では一六世紀から知られていたものであり、エドモンド・スペンサーにも「ハバードおばさんの物語」[5]という諷刺作品がある。また、一九世紀末には、ハバードおばさんは犬の聖人として知られる八世紀の聖ヒューバートが元になっているという説が出された。しかしいずれもこの唄の主人公の言動や物語とは直接的な関係がないことから、その名前や、何らかの伝承などをもとに、マーティンが、人物像と物語を新たに創作したものと考えられている。一九世紀の童謡研究家ジェイムズ・オーチャード・ハリウェルは、第三節の「笑う」の現在分詞(laughing)が「棺桶」(coffin)と韻を踏むのは、「笑う」を'loffe'と綴ったシェイクスピア時代の用法であることから、冒頭三節は相当に古い唄であると考えている。また別に、『子

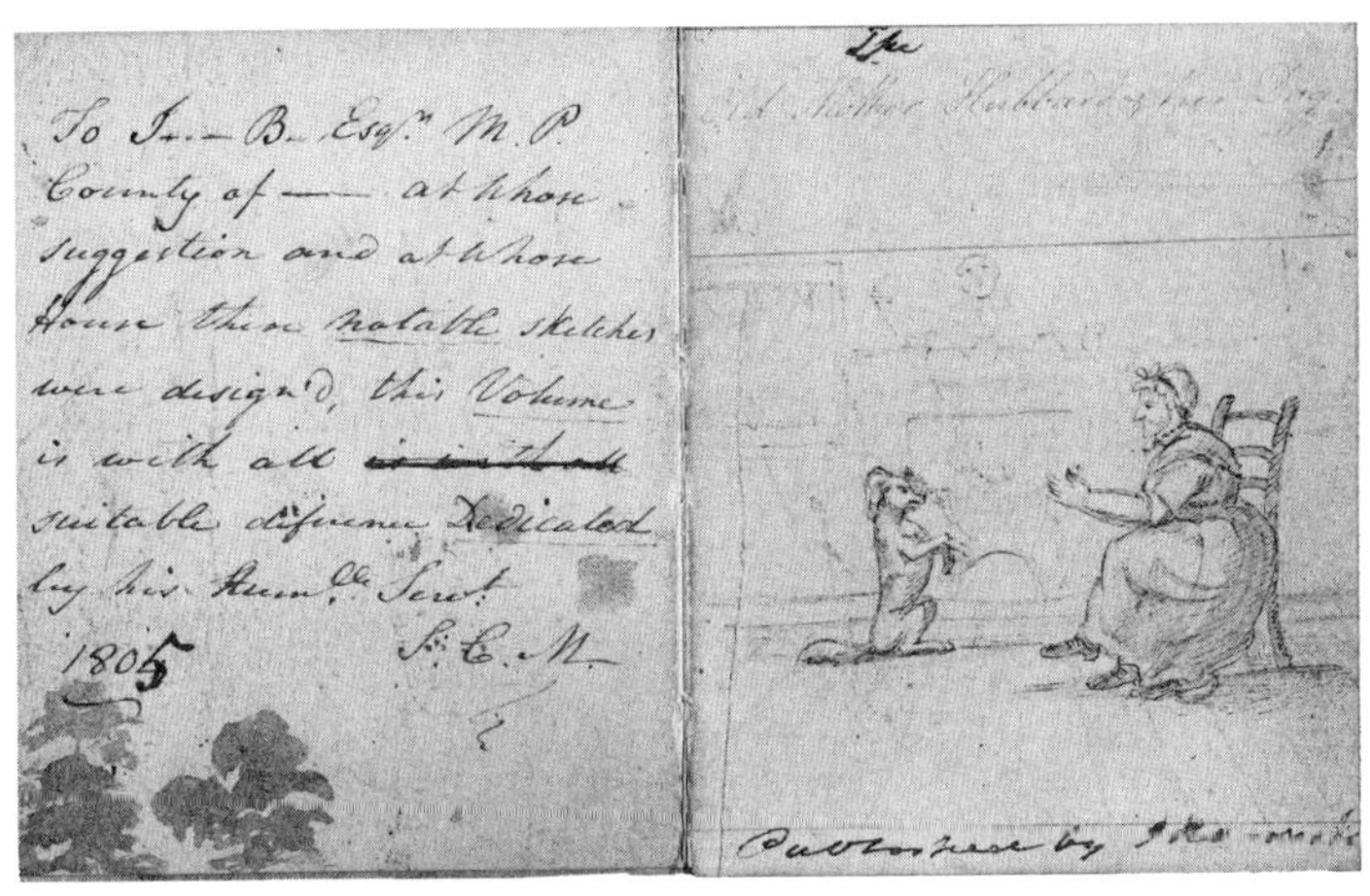

図19　手稿版『ハバードおばさんとその犬』とそのケースのセアラ・キャサリン・マーティンの肖像

供学院』[6]という数年前に出た書のなかに同じ韻を含む詩が引用されていることから、マーティンがそれを知っていた可能性もあるという指摘もある。

　ハリス版の原稿となったマーティン自らの挿絵入りの手稿が一九三六年にマーティンの曾々姪の持ち物のなかから見つかり、オックスフォード大学ボードリアン図書館で展示された。それを機に、そのファクシミリ版がオックスフォード大学出版局より刊行（一九三八）された。[7] ケースの表紙にはセアラ・キャサリンの肖像画が見られる。（図19）本体は一〇・五×八・五センチメートルほどの大きさで、内容は、献辞とタイトルが各一ページ、唄の部分は一四ページの構成である。ハリスの版と比較すると、サイズはやや小さいが、ページ数と構成は同じである。第一節のみが六行で、残りの一三節が四行ずつの形式であることや、各ページが一節とその挿画で構成されていることなども同じである。各節の句読法は手稿に忠実であると言える。唯一の異同と言えるのは、第七、八節と第九、十節の順が、ハリス版では逆になっていることである。おばさんが犬のための買い物に出かける店が、手稿ではエールハウス、居酒屋、果物屋のように飲食に関する店が先に並べられ、その後で仕立て屋、帽子屋、床屋など、身なりに関する店が並ぶ順番になっており合理的である。敢えて床屋と仕立て屋の間に果物屋を入れるハリスの意図は不明である。献辞の日付が、手稿では一八〇四年と書かれた上に、四が五に上書きして訂正されていることから、手稿が執筆された翌年に、ハリスによって出版されたことがわかる。

ハリス版とキャトナック版の異同

ハリス版『ハバードおばさんとその犬』の大流行を受けて、かなり早い時期に出されたと思われるチャップブックの版を見ると、唄に版による異同があることがわかる。また、挿絵にも、マーティンの描いたものをもとに、さまざまな変形が加えられている。

たとえば「時事ねた」を扱うスモール・ペニー・ペーパーなどで知られるジェイムズ・キャトナック[8]の版では、歌い出しはマーティンのものと同じだが、第二節目で、おばさんがパン屋から戻り、犬が死んでいるのに気づいたあと、「おばさんは、ああ、かわいそうに、どうしたらいいのだろう？／お前はかけがえのない、私の自慢だったのに、と嘆いた」（Ah! my poor dog, she cried, oh, what shall I do? / You were always my pride—none equal to you.）という二行が付け加えられている。次節には、死んだ犬のために棺桶を買って帰ったおばさんは、犬が生きているのを見て、「おや、いったいこれはどうしたことか、／とにかくお前が生き返ってたいそう嬉しいことだ」（Now how this can be quite puzzles my brain, / I am much pleased to see you alive once again.）というせりふが追加されており、いくぶん説明的で、散文的な語りとなっている。そのほか、おばさんが買い物に出かける店や、買ってくるものにもかなりの異同がある。

犬にビールを買いに、居酒屋行ったおばさん、
戻ってみると、犬は椅子に座ってた。
さあ、たっぷりお飲みよ、お代はいらない、
憂さをはらして、渇きを癒せ。（第六節）

犬に靴を買いに出かけたおばさん、

戻ってみると、犬は新聞読んでいた。
おばさん、吹き出して言うことにゃ、ビール飲んで、
たばこ吹かす犬がいるなど、だれもほんとにしなかろう。（第八節）

SHE went to the alehouse to buy him some beer,
When she came back he sat on a chair.
Drink hearty, said dame, there's nothing to pay,
'T will banish your sorrow and moisten your clay. (v. 6)

SHE went to shop to buy him some shoes,
When she came back he was reading the news.
Sure none would believe (she laughed as she spoke),
That a dog could be found to drink ale and smoke. (v. 8)

しかし、犬が糸を紡いだり、猫とからんだり、フルートを吹いたり、逆立ちをしたり、また末尾で、大袈裟な衣装を着けて、おばさんに慇懃に挨拶をすることなどに変わりはない。挿絵は、ハリスの版の挿絵が、柔らかい犬の毛並みを表現し、線描法を多用した背景を付した陰影のある銅版画であったのに対し、キャットナックのものは、いわゆるチャップブックに典型的な、粗野な太めの輪郭線の木

図20 キャトナック版『ハバードおばさんとその犬』(年代不詳) 挿絵

版画である。(図20)

マーティンの手稿からかなり忠実に起こされたハリスの版の挿絵では、ハバードおばさんは、エプロン、紐で結わいた布製の帽子、ネック・クロスなど、この時代の実用的な衣料を身に着けた初老の女性として描かれている。投宿先の家政婦をモデルとしたという説を裏付ける表現となっているのである。それに対し、キャトナック版のハバードおばさんは、パントマイム『ハーレクィンとマザー・グース』(一八〇六)におけるマザー・グースの表象に見られたのと類似した、鉤鼻としゃくれた顎、とんがり帽子に外套姿の、どこか魔女の老婆を連想させるものとなっている。こうした老女は、一人身の老女の紋切り型の表象として、当時のパントマイム、仮装舞踏会、民衆版画、チャップブックやブロードサイド、あるいは児童書などに頻繁に見られた(9)。こうした老婆の表象は、概して無知で蒙昧であると考えられた農村部の貧しい年配の女性のそれとして、また当時の代表的な社会的アウトサイダーであった「ジプジー」やユダヤ人などの老女のそれとして流布したものであり、それ自体に、社会的な階層の認識や、民族的マイノリティに対する差別意識に基づく政治的な態度が含まれている。イアン・ボストリッジは、『ウィッチクラフトとその変容』で、一八世紀中葉のイングランドにおける「ジプシー」の老女に対する迫害の経緯と、当時の政治諷刺の民衆版画に見られる、とんがり帽子をかぶり、貧しい農婦のエプロン姿の魔女の表象との関わりについて論じている(10)。

『ハバードおばさんとその犬』後編と続編(一八〇六)

マーティン作『ハバードおばさんとその犬後編』は、前編の大成功の翌年、ほぼ同じ体裁で出版された。著者名として「S・C・M」とある。献辞はない。後編でも、相変わらず犬は楽器を弾いてみせたり、兵士の教練をしたり、チェスをしたり、とぼけたことをしてみせる。しかし後半では、嫁探しをし、見事に婚約者をみつけ、結婚する。おばさんは彼らを祝福し、犬たちはそれに返礼する。

みなさんどうしておいでかと、
おばさん、ご近所まわり、

戻ってみると
　犬は求婚の真っ最中。

犬に婚約指輪を買ってやろうと
　おばさん、宝石屋へ出かけた。
戻ってみると
　犬たちは歌の稽古をしていた

犬に揚げ物をしてやろうと
　おばさん、魚を買いに出かけ、
戻ってみると
　犬に花嫁を紹介された。（第一一－一三節）

She went to her neighbours
　To see what was doing.
When She came back
　She found him wooing.

She went to the Jewellers
To buy him a ring.
When She came back
They were learning to sing.

She went out to get him
Some fish to be fried.
When She came back
He presented his Bride. (vv. 11–13)

前編に比べれば、人を食ったような犬の行動は前面に出ておらず、犬の求愛から結婚へという童話的な物語の展開となっている。

『続ハバードおばさんとその犬』は、後編と同年に、前編、後編と同じ体裁で出版された。表題ページに作者名はなく、「別の作者による」とだけ見られる。献辞によれば、W・Fという女性の作者（不詳）から、P・A（不詳）に献呈されている。挿絵も先行の二冊が同じ製版師によるものであったのに対し、別の下絵師と製版師によるもののようで、絵の雰囲気も違う。おばさんは前後編と同じように、頑丈な家政婦という風情であり、キャトナックの鬼婆（おにばば）風ではない。歌い出しは次のようである。

バーソロミュー・フェアに誘われた
　ハバードおばさん、
犬は床屋に早がわり、
　髪に打ち粉の床屋ぶり
The Dame was invited
　To Bartlemy Fair:
Her Dog became Barber,
　And powder'd her hair.

この唄では、犬はおばさんの役に立つたいへんな働き者として描かれている。バーソロミュー・フェアへ出かけるおばさんの身支度を手伝ったり、自分がおばさんの頭に飛び乗ってびっくりさせたためとはいえ、気絶したおばさんの瀉血をしたり、おばさんの服の洗濯をしたり、買い物の途中で雨に降られ、おばさんが服の裾を持って歩けるように傘をさしかけたり、子猫をあやしたり、暖炉の火を起こしたりする。最後のページでは、犬が死に、犬が仰向けに横たわった像が載せられている立派な「ハバードおばさんの犬」の記念碑がおばさんによって建立されたことが語られ、それをもって、このシリーズが終了することも示唆されている。

一八一九年にシリーズとして刊行が開始されたハリス社の「娯楽と教育文庫」の『ハバードおばさ

んとその犬』[11]のテクストは一八〇五年の初版のものと同じである。末尾には「犬が死ぬと／おばさんはこの記念碑を立てました。」（And erected this monument / When he was dead.）の二行で結ばれる続編の最終節が流用されている。しかし、この新版で興味深いのは、ロバート・ブランストンによって新しく作られた彩色挿絵における「おばさん」の変化である。初版の家政婦の姿ではなく、むしろキャトナックのものに似た老婆である。この時期には、ハバードおばさんの表象は、次節で紹介するトロットおばさんのそれとともに、パントマイムのマザー・グースに典型的に見られる、魔女の名残を留める旧弊で滑稽ないでたちの老女として定着していたのである。

『トロットおばさんとその猫』（一八〇三）

「ハバードおばさんとその犬」の大流行のさなかの一八〇六年に、ハリスは、同じく老女とそのペットの奇妙な交流を物語る唄の小冊子として、『新版トロットおばさんとその猫第一部』[12]を出版した。同年には、ウィリアム・ダートンも似た歌を出している。[13]この唄は、古くからよく知られていたもので、T・エヴァンズのチャップブックが一八〇三年に出されていた。[14]

ハリスとウィリアム・ダートンの『トロットおばさんとその猫』は、エヴァンズの版の唄をそのまま採録したものである。ハリス版には、「JH・SよりENへ」（イニシャルは不詳）の献辞がある。ダートン版は、「L＊＊＊＊公爵夫人作、ジョシュア卿による優美な版画」（人名は不詳）である。（図21）

いずれも、ハリスの『ハバードおばさんとその犬』とよく似た正方形に近い小冊子であった。タイトルを含めて全一六ページであり、一節ごとに挿画があるのも『ハバードおばさんとその犬』と同じである。ハバードおばさんの大流行を受けて、すでにT・エヴァンズによって出されていた老婆とその飼い猫の唄に挿絵を付けて出版したと思われる。挿絵のモチーフや構図はハリスの『ハバードおばさんとその犬』にきわめて似ている。

図21 ダートン版『トロットおばさんとその猫』(1807年版)扉

猫に好物の魚をやろうと、魚をさがすが、なくなっている。肉屋に肉を買いに行き、もどってみると、猫は死んでいる。おばさんは葬儀屋に行き、棺桶を注文してくるが、戻ってみると、猫は生きている。物語のこの始まり方は、「ハバードおばさんとその犬」と同じである。その後、おばさんが、食べ物や日用品、服飾品など、さまざまなものを買いに出かけ、戻ってくるたびに、猫はとぼけた様子で、縫い物をしたり、パイ作りをしたり、糸を紡いだり、ねずみを捕ったり、煙管を吹かしたり、犬とフェンシングをしたり、独楽を回したりして、おばさんをあきれさせる。細部の違いはあるが、語りそのものはエヴァンズのものと同じである。おばさんが猫にタルトを買って戻ると、猫はおばさんに買ってもらった帽子をかぶり、フロックを着て、手に扇を持ち、めかし込んでいる。おばさんが感心して誉めると、猫は慇懃にひと鳴きする。

『トロットおばさんとその猫』の続編は、一八〇六年にハリス、ダートン、その前年から児童書出版事業を始めていた思想家・小説家ウィリアム・ゴドウィンも「少年文庫」の一冊として出している。[15]ハリス版は「作者不詳」、ダートン版は、前編と同じ作者、挿絵画家となっている。ゴドウィン版は某公爵夫人作、そしてダートン版と同じジョシュア卿作画とされている。いずれも、すでに知られていたトロットおばさんのキャラクターを用いて、新たに物語を展開させたものである。おしゃれに自信を持った雌猫が、おばさんの制止も聞かず、街へ繰り出し、いい思いもするが、やがてバスケットを手にしたおばさんに捕まり、家へ連れ戻され、おしおきを受けるという展開である。

ハリス社の「娯楽と教育文庫」のブランストン挿絵の『トロットおばさんとその猫』(一八一九)[16]は、エヴァンズやダートンの唄とはまったく別のものであった。おばさんはでっぷりとした、鼻が上を向いた老女であり、魔女に似た姿はしていない。雌猫は、トロットおばさんやいっしょに飼われている犬のために料理をしたり、ワインの栓を抜いたり、酔っ払って逆立ちをしたり、犬に馬乗りになったり、犬とトランプをしたり、犬の顔を剃ったり、あげくには、「今時の若い娘のように」顔や髪を整え、緋色の絹の夜会服を着て、素敵な肩掛けを着けてしゃれ込み、おばさんを感心させる。

大道芸「学者犬」としてのハバードおばさんの犬

ハバードおばさんやトロットおばさんの小冊子やチャップブック以降、多くの民衆的な出版物や児童書にこのような動物たちが盛んに見られるようになる。『ハバードおばさんとその犬』の成功は、それまでの寓話や妖精物語における物言う動物たちとは別の擬人化動物の範疇を確立し、またたく間に、それは諷刺版画や児童書の世界において欠かすことのできないものとなった[17]。

それにしても、それらの動物たちは、なぜこれほどまで達者に、本来人間がすることをしてのけるのだろう。『ハバードおばさんとその犬』のマーティンの手稿、ハリスの版のいずれにも、またダートンの『トロットおばさんとその猫』にも見られた、後ろ足で立ちあがり、このような大仰で大時代の衣装を纏わされた犬や猫のいでたちこそ、実は、一七世紀には各地のフェアで見られ、一八世紀末から改めて大流行をしていた動物大道芸の学者犬（learned dog）や学者猫（learned cat）の典型的な姿であった[18]。たとえば、おばさんを助ける健気な『続ハバードおばさんとその犬』の行為で唐突なのは、近所の人々がいる前で、鉄砲を撃つことであろう。しかし、いかにも人間の役に立つ行為も、兵士のいでたちをして鉄砲を撃つことも、大道芸の犬がするならば、きわめて観衆の目を引き、興を誘うものである。すでに冒頭にバーソロミュー・フェアへの言及があることからも、この唄がフェアで人気の学者犬の大道芸を題材としたものであることは明らかである。キャトナックの『ジャンピング・ジ

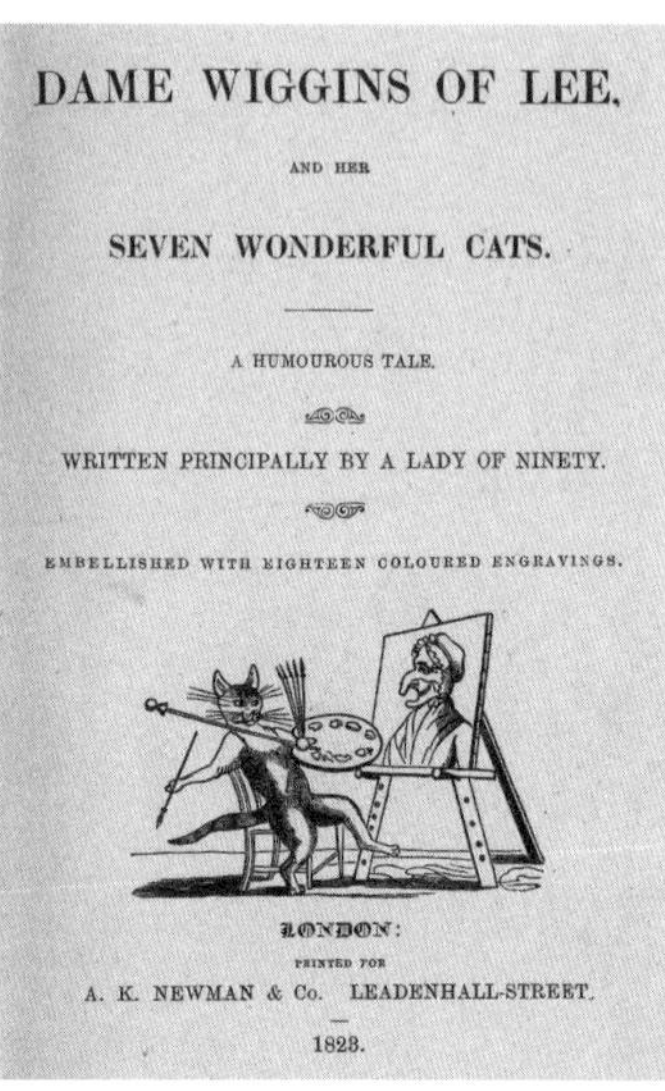

図22 ジョン・ラスキン、ケイト・グリーナウェイ『リーのウィギンズおばさんと七匹の素敵な猫』（1885）口絵と扉

ヨーン』（発行年不詳[19]）にも他の多くの学者動物とともに、銃を担いだ犬が出てくる。大風刺画家ウィリアム・ホガースも《サザック・フェア》（一七三三／三四）に、倒壊する芝居の小屋掛けの真下に剣を下げた学者犬を描いている[20]。

そのほか、ハリス自身、一八〇六年には『物言う鳥、あるいはトラッジおばさんとその鸚鵡』という、言葉を話す鳥の唄の絵本も出していた。鸚鵡そのものが歌を歌い、新聞を読み、弁護士になったりするほか、その鸚鵡を相手にダンスをしたり、ヴァイオリンを弾く猫や、槍を持った兵士姿の猿などが登場する。いずれも、末期の学者動物によく見られた芸である。特に言葉を話す芸は学者鸚鵡や、前章で論じた『靴二つさんの物語』にも描かれていた学者鳥の得意とするところであった。一八二三年にA・K・ニューマン社から出された『リーのウィギンズおばさんと七匹の素敵な猫』も「ハバードおばさんもの」の一つと言える。この歌は一八八五年にジョン・ラスキンが詩節とケイト・グリーナウェイの挿絵を追加して再版したことでも知られる。[21]（図22）

こうした娯楽本意の児童書の隆盛期は、ナポレオン戦争の時代であり、児童書中にナポレオンが揶揄されて登場することも多かった。たとえば、一八〇九年に出された『靴二つさんの誕生日』[22]という絵本にも、ハバードおばさんの犬とともに、ナポレオンの大きな帽子をかぶった「ボナパルト猿」が登場する。そのあとのページには、「優雅に」ダンスをする紳士淑女の身なりをした犬と猫も描かれている。

また、有名な伝承童謡「だれがコック・ロビンを殺したか」の絵本もこの時期に多く出版されているが、唄そのものはともかく、多くの挿絵に見られる首に白い牧師の襟をつけて祈祷書を持ったミヤマガラスの姿には、聖書の言葉を操る大道芸の鳥がそのモチーフのうえで影響を与えている。

学者動物が姿を現すこれらの児童書のなかで興味深いのは、ダートン商会が一八一八年に出したジエインとアン・テイラー著、アイザック・テイラー挿絵『子供のための都市の景色、あるいはロンドン見物』[23]における学者動物に関する記述であろう。同書は、「さあ、おいで、ロンドンの有名な町をのぞいてごらん、／旅行などしなくとも、／椅子に腰掛けたまま、名所名物ご覧あれ」という呼び込みで始まる子供向けのロンドン案内である。「踊る熊と犬」という項目で、学者動物の芸は動物を虐待する行為であるとして非難されている。「動物を酷使する芸人に金をやるより、彼らに別の仕事をみつけてやりたいものだ」と書かれている。付された挿絵には、動物使いに鎖をつけられ、杖をついて歩く学者熊、ハバードおばさんの犬とそっくりな四頭の学者犬などが描かれている。(二六頁)学者動物は、知恵のある動物に対する疑似科学的な興味の対象として、あるいは陳腐な大道芸の子供だましの人気者として、そして一八二〇年代から急激に社会運動として広まる動物虐待防止の理念に反する行為の犠牲者として、さまざまにその性格を変えながら、またそれらの性格が複雑に絡み合った奇妙な存在としてとらえられるようになってゆく。

一八世紀末にブロードサイドやパンフレットに学者動物がフランス革命期の政治的な諷刺のための表象として盛んに登場したことや、政治諷刺における動物表現の系譜におけるその位置づけについては別の場所ですでに詳しく論じた。[24]『ハバードおばさんとその犬』が、何らかの政治的な諷刺を含んだ戯れ唄としてとらえられたのも、学者動物が、フランス革命をめぐって保守主義と急進主義の両勢力の間で繰り広げられたパンフレットによる批判や非難の応酬における諷刺のための常套的な表象となっていたからであったと言える。

ジョージ・クルックシャンク《犬の時代》(一八三六)

しかし、ジョージ朝末期からヴィクトリア朝にさしかかる頃になると、学者動物の大道芸は、それまでのいく分なりとも不思議で、疑似科学的な性格を失い、どこの街頭でも目にすることのできる、

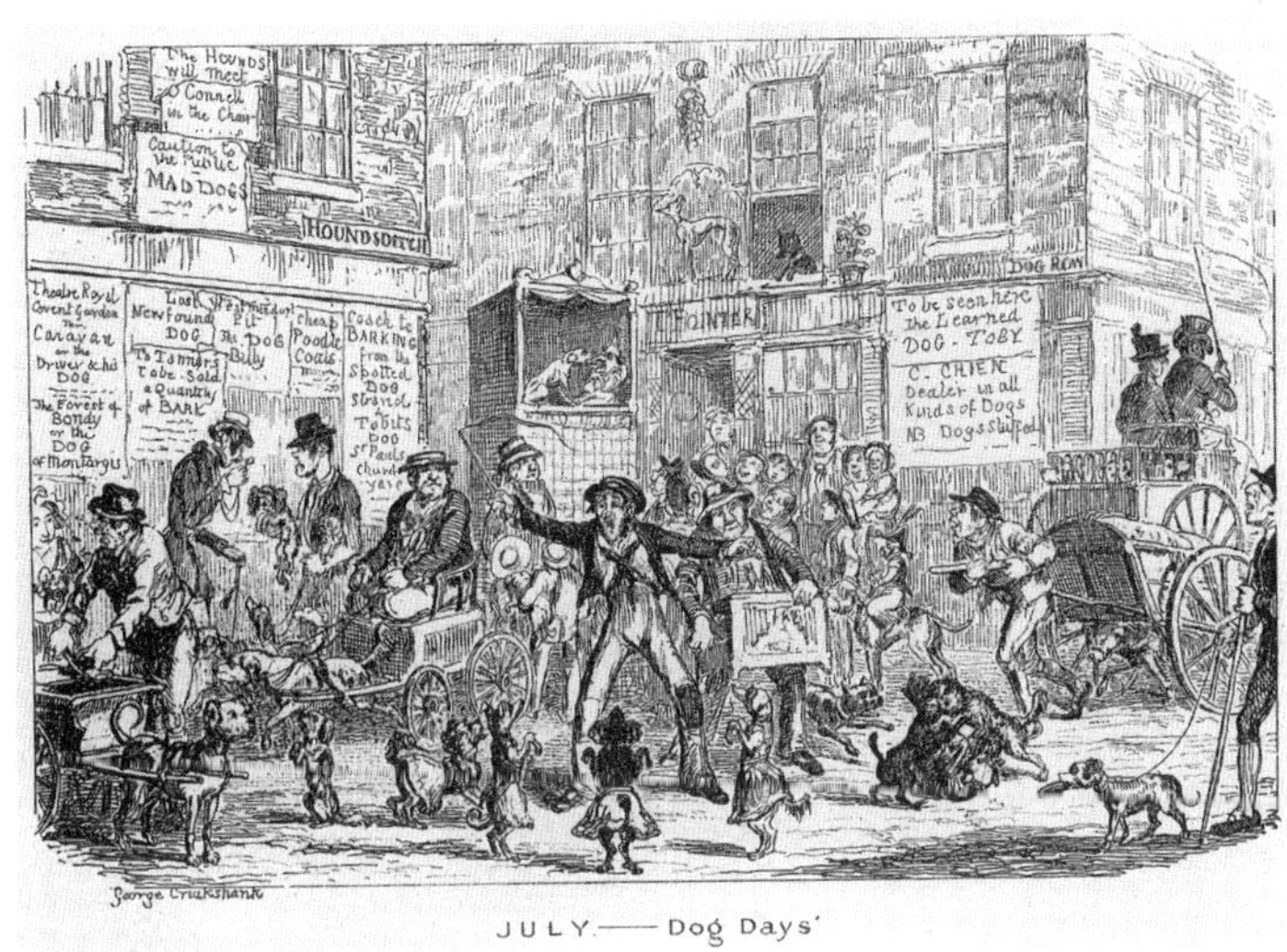

図23　ジョージ・クルックシャンク《犬の時代》(1836)

愉快な、ありふれた娯楽として残ってゆく。ジョージ・クルックシャンクは、一九世紀を代表する風刺画家・挿絵画家で、最初のグリム童話集の英訳や、チャールズ・ディケンズの『オリヴァー・ツイスト』などの初期の作品に挿画をつけたことでもよく知られる。この挿絵画家については次章と次々章であらためて論及する。その有名な時事漫画『漫画暦』の一八三六年七月の絵に、《犬の時代》と題されたものがある。[25](図23)ロンドンの辻を描いたこの街景には、実に二〇頭近い犬が描かれている。画面中央に、犬を使う二人組の大道芸人が描かれている。一人は小さな鞭を持って、後ろ足で立った数頭の犬を操っており、もう一人は、箱型のストリート・オルガンを肩から掛けて演奏する囃し方である。四頭の犬がドレスを着せられており、そのうち三頭が後ろ足で立ちあがり、ちんちんをしている。この大道芸人の仲間なのか商売敵なのかはわからないが、彼らの後ろには、『パンチとジュディ』の人形使いのブースがあり、その舞台では、犬のトビーが、パンチの鼻を齧っている。そのほか、左手には、小さな荷車や一人乗りの車を引く犬や、犬売りらしき人物の両腕に抱えられた犬、婦人の胸に抱かれた小犬、右手には、老人に縄をつけられて散歩をしている犬や、けんかをしたり駆けまわったりしている野良犬らしきものも何頭かいる。建物の二階の窓辺には、黒い犬がいて、そうした情景を見下ろしている。

この諷刺画が興味深いのは、背景となっている建物の壁面にたくさんの貼り紙が見られ、その文句を読むことができることである。そこから、この当時としてはすでにありふれたものとなっていた大道芸の犬が担っていた意味に関する多くの社会的な情報を読み取ることができる。「学者犬トビー」の大道芸の広告は、そのそばに描かれている『パンチとジュディ』の人形芝居に登場する犬の名前がトビーであることを考え合わせると、興味深い。犬トビーは、当時この人形芝居に欠かせない生きたキャラクターであった。トビーに鼻を齧られたにもかかわらず、乱暴者のパンチは、逆に犬を虐待したと嫌疑をかけられる。人形芝居のブースで、人形と絡み合うこの犬は、一方で、パイプを咥えたり、眼鏡をかけたりといった芸をする学者犬でもあった。人形芝居と同様、学者動物の大道芸は、この時代にはすでに、おもに子供相手の大道芸となっていたと言ってよい。学者動物の衰退期に名を馳せた学者豚の名前が同じトビーであったことも想起される。[26] そのほかの貼り紙で注目すべきなのは、蓄犬商の広告や「犬の吠え方指導いたします」という、いかにもペット・ブームの時代を反映したものである。また、この広告とともに「公衆に放たれた狂犬に注意」という貼り紙には、ナポレオン戦争下でも進められていた資本家の横暴に抗するチャーティスト運動に対する揶揄が込められている。二階の窓から街の喧騒を見下ろす胡乱な黒いシルエットの犬は何かを監視している、あるいは何かを企んでいるのである。

クルックシャンクが「犬の時代」という題をこの絵に与えたのは、ロンドンの街頭における犬と人間との関わりが変化し、その変化が、大いに人々の関心の対象となったことを戯画的に描いているからである。この諷刺画のなかで、犬は、流行の愛玩動物として、陳腐な大道芸の人気者として、あるいはそうした芸をさせられたり、売買されたり、動力に用いられるなどの虐待から守られるべき愛護の対象として、さらには、社会の衛生や公益を害しかねない危険なものとしてなど、多様な社会的意味を担ったものとして描かれているのである。

ハバードおばさんとその犬のイギリス近代

一九世紀初頭のハバードおばさんやトロットおばさんなどの児童書を見ると、これらの主人公たちが、同時期のパントマイムで確立したマザー・グースの旧弊で滑稽な魔女としての表象とよく似た、子供たちになじみの、少し奇妙で胡乱だが愉快な主人公となっていることがわかる。パントマイム『ハーレクィンとマザー・グース』がドゥルリー・レインの王立劇場で大当たりをしたのと、『ハバードおばさんとその犬』や『トロットおばさんとその猫』の唄が大流行したのが、同じ一八〇六年であったことは、単なる偶然ではない。「ハバードおばさんとその犬」は、パントマイムのマザー・グースに代表される、すたれてゆく旧世代の象徴としての妖婆と、疑似科学を装った胡乱な大道芸の学者犬とが結びついてできた唄であった。そして、彼女たちと、滑稽で人を食った擬人的な動物たちとの結びつきにこそ、この時代の都市と地方、古い世界観と疑似科学的な知識、人間と自然界、中流階級と下層階級、イングランド人と民族的マイノリティといったさまざまな対立概念が、近代化とともに急激にその関係を変え始めた事情を垣間見ることができるのである。

注

（1） S[arah] C[atherine] M[artin], *The Comic Adventures of Old Mother Hubbard, and her Dog* (London, 1805).

（2） [Anon.], *The Happy Courtship, Merry Marriage, and Pic Nic Dinner, of Cock Robin, and Jenny Wren* (London, 1806).

（3） S[arah] C[atherine] M[artin], *A Continuation of the Comic Adventures of Old Mother Hubbard, and her Dog* (London, 1806); [Anon.], *A Sequel to the Comic Adventures, of Old Mother Hubbard, and her Dog, by Another Hand* (London, [1806]). 正編とともに *Nursery Rhymes and Chapbooks 1805-1814*, with a preface by Justin G. Schiller (New York, 1978) に収録されている。

（4） この唄およびそれに類似した唄の書誌的記述は、*The Oxford Dictionary of Nursery Rhymes*, ed. by Iona and Peter Opie (Oxford, 1951; repr. 1980), pp. 317-22; *A Nursery Companion*, provided by Iona and Peter

Opie (Oxford, 1980), pp. 5–8, 123–24の他、*Nursery Rhymes and Chapbooks*, pp. xii–xiv; Marjorie Moon, *John Harris's Books for Youth 1801–1843*, rvd. edn (Folkestone, 1992); Linda David and Lawrence Darton, *Children's Books Published by William Darton and his Sons: A Catalogue of an Exhibition at the Lilly Library, Indiana University, April–June 1992* (Bloomington, [1992]) などによる。

（5） Edmund Spenser, 'Mother Hubbard's Tale' (1590).

（6） [Anon.], *Infant Institutes* ([n.p.], 1797).

（7） [Sarah Catherine Martin], *Old Mother Hubbard and her Dog*, facsimile edition (Oxford, [1938]).

（8） [James Catnack], *Old Mother Hubbard and her Wonderful Dog* (London, [c. 1800]). Arnold Arnold, *Pictures and Stories from Forgotten Children's Books* (New York, 1969) 所収。Charles Hindley, *The History of the Catnach Press* (London, 1887) には全一〇節の短い版 (London, [n.d.]) が収められている。

（9） Thomas Dibdin, *Harlequin and Mother Goose; or, The Golden Egg!* (London, [c.1807]) の主人公の表象については、拙著『マザー・グースとイギリス近代』（岩波書店、二〇〇五）第一章を見よ。

（10） Ian Bostridge, *Witchcraft and its Transformations c. 1650–c. 1750* (Oxford, 1997), pp. 166–71.

（11） [John Harris], *The Comic Adventures of Old Mother Hubbard, and her Dog*, Cabinet of Amusement and Instruction (London, 1819). Opie, *Nursery Companion* 所収。挿絵画家については同書一二四頁を参照。

（12） [John Harris], *The First Part of Dame Trot, and her Comical Cat, a New and Improved Edition* (London, 1806).

（13） [William Darton], *The Moving Adventures of Old Dame Trot and her Comical Cat* (London, 1807)。「複刻世界の絵本館——オズボーン・コレクション」（ほるぷ出版、一九八二）の版がある。

（14） [T. Evans], *Old Dame Trot, and her Comical Cat* (London, 1803).

（15） [John Harris], *A Continuation of the Moving Adventures of Old Dame Trot, and her Comical Cat*

(London, 1806); [William Darton], *Continuation of the Moving Adventures of Old Dame Trot, and her Comical Cat* (London, 1806); [William Godwin], *A Continuation of the Moving Adventures of Old Dame Trot and her Comical Cat,* Juvenile Library (London, 1806).

(16) [John Harris], *The Comic Adventures of Old Dame Trot, and her Cat,* Cabinet of Amusement and Instruction (London, 1819). Opie, *Nursery Companion* 所収。

(17) Arnold は前掲書で『ハバードおばさんとその犬』などの擬人化動物の描かれた児童書を 'Nursery Rhymes' とは別に 'Anthropomorphism' というカテゴリーに分類している。

(18) 学者動物の大道芸については Richard D. Altick, *The Shows of London* (Cambridge, MA, 1978), pp. 40–42, 306–07（R・D・オールティック『ロンドンの見世物』全三巻、小池滋監訳、国書刊行会、一九八九－九〇、第一巻（一九八九）、一一二－一七頁、第三巻（一九九〇）、三六〇－六三頁）を参照。前掲の拙著第四章も見よ。Ruth B. Bottigheimer, 'The Book on the Bookseller's Shelf and the Book in the English Child's Hand', in *Culturing the Child, 1690–1914*, ed. by Donelle Ruwe (Lanham, Maryland, 2005), pp. 3–28 (p. 22) に『ハバードおばさんとその犬』に先行する「学者犬」の本として [John Harris], *The Dog of Knowledge, or the Memoirs of Bob the Spotted Terrier* (London, 1801) が言及されている。

(19) [James Catnack], *Jumping Joan* (London, [n.d.]), Hindley 所収。

(20) William Hogarth, *Southwark Fair* (1733/34), in Ronald Paulson, *The Art of Hogarth* (London, 1975), Plate 48.

(21) [John Harris], *The Talking Bird or Dame Trudge and her Parrot* (London, 1806); [Anon.], *Dame Wiggins of Lee and her Seven Wonderful Cats* (London, 1823); [Anon.], *Dame Wiggins of Lee, and her Seven Wonderful Cats,* ed. by John Ruskin, and illustrations by Kate Greenaway (London, 1885).

(22) [Anon.], *A History of Goody Two Shoes' Birth-Day in Verse* (London, 1809).

(23) [Jane and Ann Taylor], *City Scenes, or a Peep into London. For Children* (London, 1818), p. 26.
(24) 前掲の拙著第四章を見よ。
(25) George Cruikshank, 'July [1836]—*Dog Days*', in *The Comic Almanack* (London, 1835–53).
(26) 『パンチとジュディ』の人形芝居については前掲の拙著第五章を見よ。

第五章　子供の本における残酷性

――ペロー童話、グリム童話の受容小史

セアラ・トリマー『教育守護者』（一八〇二―〇六）の妖精物語批判

慈善学校・日曜学校教育の熱心な活動家としても知られるセアラ・トリマーは、フランスの啓蒙思想や革命期のジャコバン主義に影響を受けた出版物の台頭からイギリスの教育や児童書を「守る」ことを目的として、一八〇二年に『教育守護者』誌（一八〇二―〇六）を創刊した。（図24）はじめての体系的な児童書の書評誌として評価される同誌のなかで、トリマーが妖精物語を論じ、「子供の頭を不思議で超自然の出来事の混乱した観念でいっぱいにするだけ」のものであると述べ、「シンデレラ」を、「羨み、嫉妬、義母や腹違いの姉妹への反感、虚栄、衣裳好みなど、人間の心のなかに入り込む、できればどれも小さな子供たちが知らずにいるべきいくつかの最も悪しき感情を描いている」として批判する投書を掲載したことは多くの児童文学史で言及される。[1] しかし、トリマーが妖精物語を敵視するも

THE

GUARDIAN OF EDUCATION,

A PERIODICAL WORK;

CONSISTING OF

A PRACTICAL ESSAY ON CHRISTIAN EDUCATION,

FOUNDED IMMEDIATELY ON THE

Scriptures,

AND THE

SACRED OFFICES OF THE CHURCH OF ENGLAND:

MEMOIRS OF MODERN PHILOSOPHERS,

AND

EXTRACTS FROM THEIR WRITINGS;

EXTRACTS FROM SERMONS AND OTHER BOOKS

RELATING TO RELIGIOUS EDUCATION;

AND

A COPIOUS EXAMINATION

OF

MODERN SYSTEMS OF EDUCATION,

CHILDREN'S BOOKS, AND BOOKS FOR YOUNG PERSONS;

CONDUCTED BY

MRS. TRIMMER.

"The Religious Principle, if strongly inculcated, will secure the well-formed heart from every sudden inroad of passion; will inspire the mind with that unshaken, consistent, and universal virtue, which naturally results from a just and extended view of God's moral government: from this exalting reflection, that we are placed here by our Creator to act a part; and that if we promote the end of his creation, the happiness of mankind, we shall assuredly obtain still higher degrees of virtue and perfection."

DR. BROWN'S SERMONS.

VOL. I.

From MAY *to* DECEMBER *inclusive,* 1802.

LONDON:

PUBLISHED BY J. HATCHARD, BOOKSELLER TO HER MAJESTY,
OPPOSITE ALBANY HOUSE, PICCADILLY.

1802.

J. BRETTELL, *Printer, Great Windmill Street, Haymarket.*

図24 『教育守護者』第１巻(1802) 扉

うひとつの理由は、その「残酷性」にあった。彼女は自らの幼年期をふり返り、次のように記している。

子供の娯楽のための読み物がほとんどなかった私たちの幼年時代に、私たちが「赤ずきん」や「青髯」のような物語を興味津津で読んだり、聞いたりしたことは今でもよく憶えている。だからこそ、私たちは孫たちの心に、同じようにして、そのような興奮をひき起こすことを望まない。こうした種類の物語が想像させる恐ろしい影像は、たいてい深く印象に残り、不合理な、根拠のない恐怖をかきたて、子供の柔らかい精神を損うものだからである。(2)

残酷な場面や筋を含む妖精物語に対するこのような警戒は、一八二〇年に刊行された『親心の教育者、あるいは父親からの子供たちへの贈り物』(3)と題される著者不詳の出版物にも認められる。そこでは、言葉を話す動物が活躍する同じ超自然的な物語でも、教訓を含むラ・フォンテーヌの『寓話』と違い「赤ずきん」のような妖精物語は、子供たちの「嗜好を堕落させ、精神を脆弱にするばかりで、なかには恐怖心や嫌悪感をひき起こすものさえある」、何の教訓も含まない、有害な、馬鹿げたものであるとして、子供部屋から追放すべきとされているのである。

本章では、イギリスに伝わる妖精物語の残酷な部分に対する批判とその受容の過程を考察し、それ以外のジャンルのものも含め、子供の本における「残酷性」に対する態度の変化について検討したい。

フェリックス・サマリー『伝承妖精物語集』（一八四五）におけるペロー童話の改変

「赤ずきん」の物語がイギリスにはじめて現れるのは、一七〇〇年代初頭のロバート・サンバー（あるいはギ・ミエジュ）によるシャルル・ペローの『教訓のある昔話あるいはコント集』の英訳（図25）においてである。[4] このサンバー訳がペローにほぼ忠実なものであったために、イギリスにおいても「赤ずきん」は、「そして、こういいながら、この悪い狼は、赤ずきんちゃんにとびかかって、食べてしまいました。」というペローの昔話と同じ衝撃的な結末を持つ物語として伝承された。サンバー訳にも、ペローの末尾に見られる「これでおわかりだろう、おさない子どもたち、／とりわけ若い娘たち／美しく姿よく心優しい娘たちが／誰にでも耳を貸すのはとんだ間違い」で始まる有名な「教訓」が付されており、その意味では残酷な結末に対する道徳的、教訓的配慮はなされている。[5] ベンジャミン・タバートとジョン・ハリスの版（一八〇七）[6]でもペローの結末が踏襲されている。こうした事情は、行商人によって販売され全国に流通していたチャップブックでも同じであった。多くのチャップブックでは、狼は赤ずきんを食べた後で殺されるが、赤ずきんは生き返らない。[7] 作家チャールズ・ディケンズは「クリスマス・ツリー」（一八五〇）のなかで、幼年期の読書体験における「赤ずきん」の印象を次のように述懐している。「おばあさんをぺろりとたいらげ、それでも飽き足らず、自分の歯についての恐ろしい冗談を言った後、今度は赤ずきんまで食べてしまった、あの変装した狼の残酷さと裏切り[8]」。

それに対して、ヴィクトリア時代に出版される妖精物語集では、ダイナ・マライア・クレイクの『妖精の本』(一八六三)[9]のように伝統的な結末にしたがったものもあったが、多くの場合、その結末に寓話的な改変がほどこされるか、あるいはグリムの昔話で知られる狩人によって主人公が救いだされる型が好んで選択されている。

LITTLE RED RIDING-HOOD

LITTLE RED RIDING-HOOD

TALE I

ONCE upon a Time, there lived in a certain Village a little Country Girl, the prettiest Creature ever seen. Her Mother was excessively fond of her; and her Grand-Mother doated on her much more. This good Woman got made for her a little Red Riding-Hood; which became the Girl so extremely well, that every Body called her Little Red Riding-Hood.

One Day, her Mother, having made some Custards

19

図25　『マザー・グースの物語』復刻版(1925) 19頁

たとえば、ディケンズは、妖精物語集の翻訳出版を準備中のある女性に宛てた一八四七年四月三日付けの書簡のなかで、「狩人によって狼の腹が切り開かれ、赤ずきんが生き返るという部分は、イギリスに伝わるものにはありませんが、私にもなじみのあるもので、どこかで読んだことがあるような気がします。だとすれば、翻訳で読んだにちがいありません。残念ながら、私にはドイツ語はわかりませんから」と書いている。[10] また、アンデルセン童話の英訳者としても知られるクララ・ド・シャトランの『子供のための楽しいお話集』(一八六八)の「赤ずきん」には、狼が赤ずきんにとびかかろうとする瞬間に、ハチが狼の鼻を刺し、それが小鳥の合図となり、小鳥が狩人に危険を知らせ、狩人が放った矢が「オオカミの耳に突きささり、たちまちオオカミは死んでしまいました」という寓話的な結末がつけ加えられている。[11]

しかし最も特徴的な例はフェリックス・サマリーの『伝承妖精物語集』(一八四五)であろう。そこでは物語が「こう言うと、狼はベッドから跳び起き、あっという間に赤ずきんを食べてしまいました。」と伝統的に締めくくられた後で、編者の次のような付記が読まれる。「これがこの物語の伝統的な結末です。しかしこれは痛ましいものであり、ほとんどの子供たちは好まないでしょう。これとは別に狼が文学として正当に扱われている類話を聞いておりますので、その方がよろしいと思われる皆さんのためにご紹介しましょう。」これに続くもうひとつの結末では、危険を予感して赤ずきんの後をつけていた父親とその仲間の薪づくりたちが、彼女の絶叫を聞いて祖母の家へ駆け込み、狼を殺して赤ずきんを救い出すのである。[12] より写実主義的な展開であるとも言える。世紀初頭の偏狭な教訓主義とはすでに異なるこのような啓蒙的な態度は、伝承の童謡や物語を大いに顕揚しながらも、過度に死や暴力を描く残酷な部分を否定したリチャード・ヘンリー・ホーンにも認められるものである。[13]

残酷な出来事の削除は、イギリスの児童書においては一九世紀を通して慣行となっていた。ジョゼフ・ジェイコブズの『イギリス妖精物語集』（一八九三）でも、たとえば「巨人殺しのジャック」から「巨人がりっぱな騎士と奥方の髪の毛をつかみ、まるでただの手袋でももつようにらくらくと連れさってい く」という一八世紀のチャップブックにあった残酷な部分が削除されている。(14)

赤ずきんが樵に助けられる部分が付け加えられたり、眠れる森の美女とその子供たちを人食いの王妃が殺して食べようとする部分が削除されるというような傾向は二〇世紀に入ってからも多くの児童書に認められた。ノーマン・デニーやジェフリー・ブリアトンによるペローに忠実な英訳が現われるようになるのは第二次世界大戦後であった。(15)

英訳『グリム民話集』（一八二三、二六）における改変

エドガー・テイラーによるグリム兄弟の昔話集の英訳『ドイツ民話集』（一八二三、二六）（図26）は、イギリスの児童書における妖精物語の自由の獲得の歴史において画期的な意味を持っていたとされる。(16)この翻訳においても残酷性への配慮が認められる。たとえばグリムの「ルンペルシュティルツヒェン」の末尾に見られる「一寸ぼうしは気ちがいのようになって、左の足を両手でぐっとつかむと、じぶんのからだを、自分で、まっ二つに引き裂いてしまいました」という部分が省略され、「小人は、大骨を折ってなんにもならなかったので、みんなに笑われながら大いそぎでにげだしました」という緩和した表現に改められている。(17)

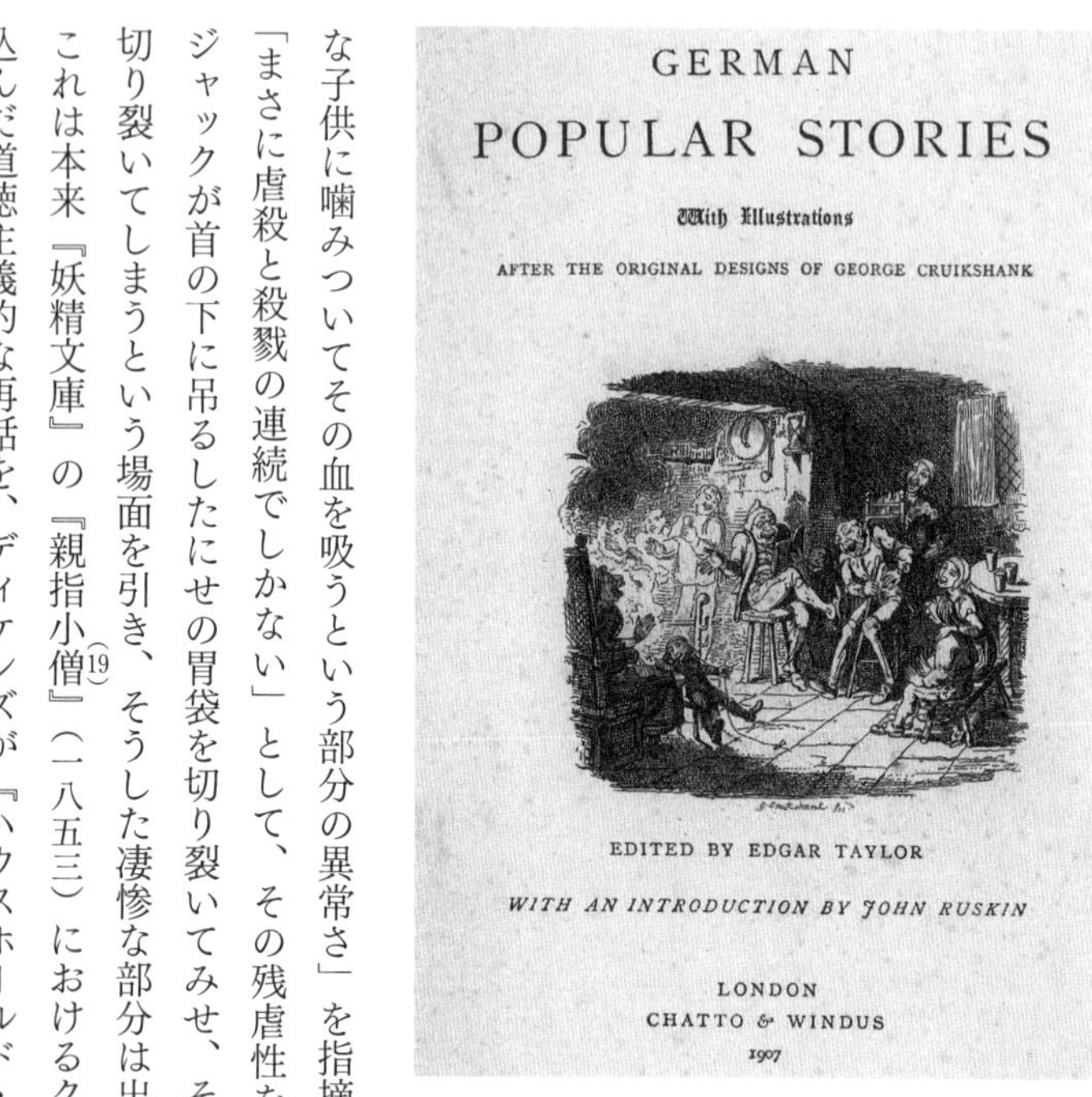
GERMAN
POPULAR STORIES
With Illustrations
AFTER THE ORIGINAL DESIGNS OF GEORGE CRUIKSHANK

EDITED BY EDGAR TAYLOR

WITH AN INTRODUCTION BY JOHN RUSKIN

LONDON
CHATTO & WINDUS
1907

図26　エドガー・テイラー編『ドイツ民話集』後版(1907) 扉

このドイツ民話集に二二枚の優れた挿絵を提供したジョージ・クルックシャンクも、彼の妖精物語の再話集『妖精文庫』の『長靴をはいた猫』（一八六四）の巻末に付した「ご両親、保護者、ならびに子供の養育の責を負うすべての方々へ」と題された付記のなかで妖精物語の残酷性を論じた。「親指小僧」の人食い鬼の七人の娘たちが「小さな子供に噛みついてその血を吸うという部分の異常さ」を指摘し、さらに「巨人殺しのジャック」を「まさに虐殺と殺戮の連続でしかない」として、その残虐性を非難している。クルックシャンクは、ジャックが首の下に吊るしたにせの胃袋を切り裂いてみせ、それを愚かな巨人が真似て、自分の腹を切り裂いてしまうという場面を引き、そうした凄惨な部分は出版の際に削除すべきであると主張した。[18]
これは本来『妖精文庫』の『親指小僧』[19]（一八五三）におけるクルックシャンクの時事的な話題を盛り込んだ道徳主義的な再話を、ディケンズが『ハウスホールド・ワーズ』誌の一八五三年一〇月一日号で「妖精たちへの詐欺行為」(Frauds on the Fairies)[20]であるとして厳しく批判したことに対する抗弁として書かれたものであった。この「論争」そのものについては次章で詳しく論じる。

しかし、このようにディケンズとクルックシャンクによって、伝承の妖精物語の編集行為の是非が論争されたこの時期は、一方でウィリアム・サッカレーが、古い世界観に基づく異常な世界を描く妖精物語に、もはや道徳性を期待することを断念し、「赤ずきん」を「道徳的な物語」ではなく「野趣のある、奇妙な、驚異の、それでいて意地の悪くない妖精物語」[21]として認識するにいたる時期でもあった。妖精物語の残酷性に対する態度は、この頃から、非難よりもむしろグリムの英訳やクルックシャンクの『妖精文庫』に見られるように、伝承の物語から、残酷な、非宗教的な部分を省いて出版するという新しい受容のかたちに顕著になってくる。[22]

ジョン・フォックス『殉教者の書』(一五六三)とメアリー・マーサ・シャーウッド『フェアチャイルド家物語』(一八一八)の残酷性

イングランド国教会がその宗教活動に聖書と併用したこともあって、子供にとってきわめてふさわしい読み物として受け入れられていたジョン・フォックスの『殉教者の書』(一五六三)[23](図27)もまた、殉教者たちへの凄惨な拷問や、壮絶な殉教の模様を伝える「乱暴な殺害についてのぞっとするような記録」[24]であった。しかしそこに見出される残酷な記述と、妖精物語の残酷な記述とは、敬虔なイングランド国教徒であったトリマーにおいて明確に区別されている。トリマーは『イギリス小史』（一八〇八）[25]で『殉教者の書』に倣い主教らの死を取りあげ、火刑に処されるニコラス・リドリーとヒュー・ラティマーを描いた挿絵を付けているのである。（図28）近代児童文学の成立期における妖精物語の残酷性に対する批判が、単にその衝撃性が子供に与える心理的な影響に向けられていただけではないことを示している。それは妖精物語に含まれるいわば異常な、不合理な観念に対する、この時代の敏感な、あるいは矛盾した態度によるものでもあった。

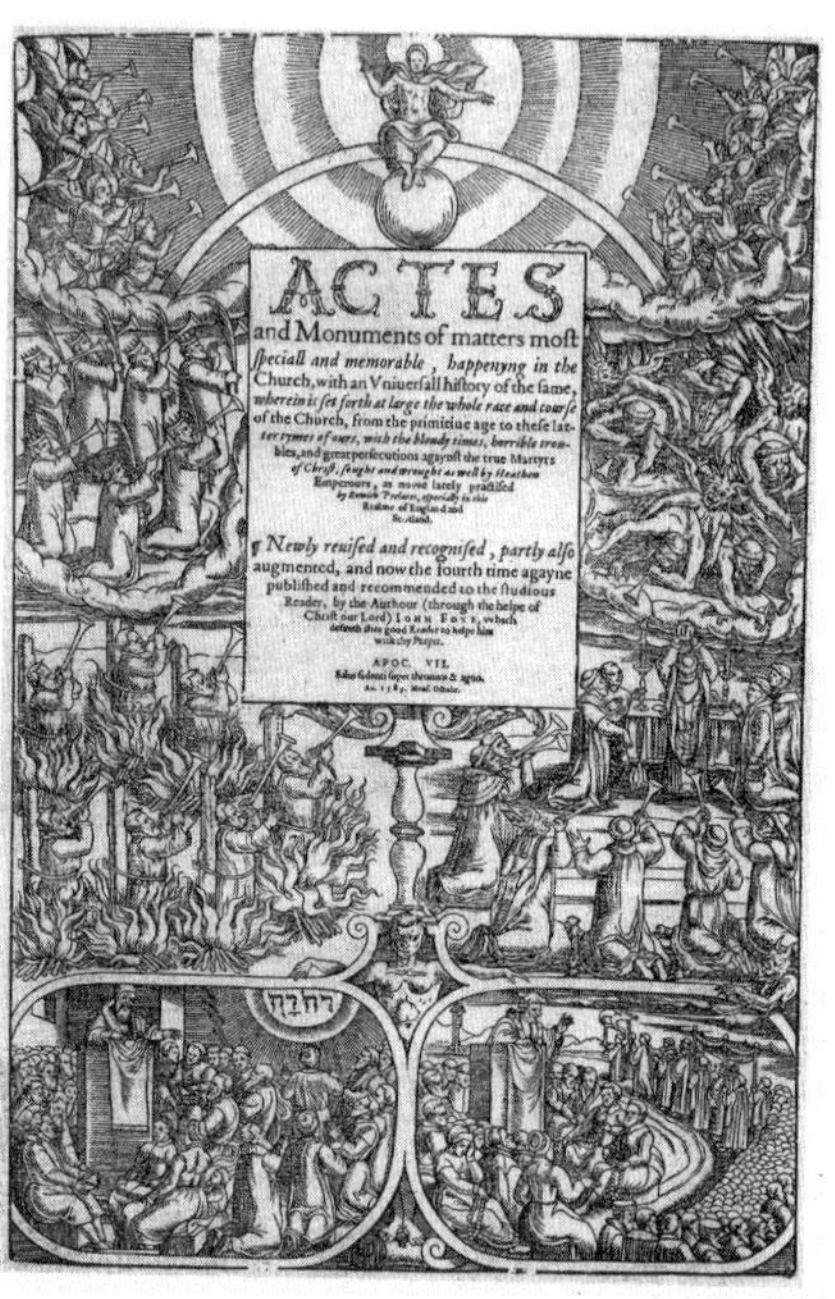
ACTES
and Monuments of matters most speciall and memorable, happenyng in the Church, with an Vniuersall history of the same, wherein is set forth at large the whole race and course of the Church, from the primitiue age to these latter tymes of ours, with the bloody times, horrible troubles, and great persecutions agaynst the true Martyrs of Christ, sought and wrought as well by Heathen Emperours, as nowe lately practised by Romish Prelates, especially in this Realme of England and Scotland.

Newly reuised and recognised, partly also augmented, and now the fourth time agayne published and recommended to the studious Reader, by the Authour (through the helpe of Christ our Lord) IOHN FOXE, which desireth thee good Reader to helpe him with thy Prayer.

APOC. VII.

図27　ジョン・フォックス『殉教者の書』(1583) 扉

LESSON IV.

The Reign of Mary. (Continued.)

PHILIP came over to England, and was married to the queen; but he was disliked for his proud behaviour, and the Spaniards were so hateful to the English, that Mary could never succeed in getting him declared presumptive heir to the crown. He endeavoured to make himself popular, by procuring the release of Princess Elizabeth, the Earl of Devonshire, and other persons of distinction.

By the advice of bishop Gardiner, it was resolved to put the laws in force against the protestants, and a dreadful persecution took place.

Ridley, Bishop of London, Latimer, formerly bishop of Worcester, two prelates celebrated for learning and virtue, were burnt at the stake

図28　セアラ・トリマー『イギリス小史』(1808) 34–35頁

THE HISTORY

OF THE

FAIRCHILD FAMILY;

OR,

The Child's Manual:

BEING A

COLLECTION OF STORIES

CALCULATED TO SHOW THE

IMPORTANCE AND EFFECTS OF A RELIGIOUS EDUCATION.

BY

MRS. SHERWOOD,

AUTHOR OF "HENRY MILNER," "ORPHANS OF NORMANDY," "HEDGE OF THORNS," &c.

THIRTEENTH EDITION.

LONDON:

J. HATCHARD AND SON, 187, PICCADILLY.

1839.

図29　シャーウッド夫人『フェアチルド家物語』第13版(1839) 口絵, 扉

さらにこの時代の児童文学には、たとえばメアリー・マーサ・シャーウッドの『フェアチャイルド家物語』(一八一八)(図29)に見られるような、残酷性を教育手段として用いる、たとえばメソジストの牧師が神の怒りを説く説教のなかで示した地獄絵の伝統と結びついた極端な教訓主義も存在した。この物語では、きょうだい喧嘩をした子供たちを、父親が人里離れたブラックウッドの森の奥の朽ちた館の庭にある絞首台へ連れてゆく。鎖に吊るされた腐爛したしばり首の死体を見せ、「ああ！　帰りましょう、パパ！」と恐怖におののく子供たちに人間の罪深さについての教訓を与えるのである。その館の憎み合った兄弟の間で起きた弟殺しの顛末を語り、旧約聖書にある十戒の「殺してはならない」とする第六の戒め、すなわち兄弟や友などを嫌い憎むことへの戒めと、主(しゅ)と隣人への愛を

説く。父親はマタイによる福音書から五章四四節「敵を愛し、自分を迫害する者のために祈りなさい。」を引用し、子供たちは、自分たちの「悪い心（wicked hearts）」を深く反省して「神と隣人への愛の祈り」を捧げるのである。[26] M・ナンシー・カットは、それまでの子供の本の歴史において、これほどまで教育や娯楽が宗教に従属したものはなかったと言う。たしかに、この作品における人間（子供）の堕落や「悪い心」の強調は、今日の眼からすれば、たとえば詩人ウィリアム・ワーズワースの「無垢なものとしての児童観」や、あるいは世紀半ばのディケンズの作品の感傷的な児童像にも反するものに見える。しかし、同時代の読者にとってこの酷い教訓性は必ずしも批判の対象ではなかった。同書は多くの読者に受け入れられ読まれた。[27] しかも、子供の本の黄金期とも呼ばれる二〇世紀初頭まで新しい版が出されている。

罪を犯すことへの恐怖を煽る類の訓育がピューリタニズムの伝統のなかに置かれていたことは、第二章で論じたアイザック・ウォッツの『聖なる歌』の後版に加えられた窃盗を戒める歌に、罪人の行く末に待つものとして絞首台への言及があること、またその挿絵に絞首台が描かれていることからもわかる。[28]

残酷性の忌避／残酷性の利用

一九世紀初頭の児童文学が見せる残酷性に対する二つの態度、つまり妖精物語の残酷性への非難と、残酷性の宗教教育的効用の重視とは、かならずしも矛盾するものではなかった。どちらの場合も、残酷性は、不合理な世界観あるいは犯罪が、反道徳的で危険なものとして忌避され押しやられる際の標的となっている。

妖精物語の残酷性の忌避は、妖精物語に含まれていた民衆的な文化が、近代的な児童文学の誕生の段階で変質したことを示している。それは、主として口承やそれを元にした民衆的出版物によって支えられていた子供の文芸の世界が、近代的な児童書の発展のなかで再編成され、ヴィクトリア朝においてそれが整えられてゆくにしたがって、妖精物語の古い世界観が押え込まれていった過程でもあった。あるいは、残酷な部分の編集行為は、すでにトリマーがフランスのジャコバン主義のような過激思想や啓蒙思想と結びつけて抱いていた政治的な危惧が、近代的な市民道徳の文脈のなかに解消されていった過程としてとらえることもできる。

一九世紀中頃の児童書においては、妖精物語の残酷性は排除されるか、あるいは合理化されていることが多いのだが、それは次章で詳しく論じるように、科学的な学問としての民俗学の発展に伴って、民話的ないし妖精物語的な世界観がその体系のなかに取り込まれていった過程に対応する。イギリスの民俗学会（The Folk-Lore Society）の結成は一八七八年である。しかし、妖精物語に見出される残酷な場面や描写への警戒と敵視がなければ、イギリスの児童文学はある意味ではチャップブックの段階に留まったという逆説もありうるかもしれない。少なくとも近代児童文学は、伝承の道徳主義的な改変という、今日ではもっぱら否定的にとらえられることの多い事情をへて成立していると言える。

アミーリア・オーピー『黒人の嘆き』(一八二六)の残酷性

一九世紀初頭にはアーノルド・アーノルドが言う「特に子供の娯楽のために書かれ印刷された本」の隆盛期を迎える。そこでは、宗教的な教訓臭、不合理な世界観や革命思想の残酷で危険な匂い、そのいずれもが嫌われ、その空隙を埋めるかのように、健全な市民道徳や、中流階級主導の慈善活動や社会改革運動の思想が盛り込まれた。

たとえばその時期の社会改革の中核とも言える反奴隷制を主題とした児童書のなかで、特に興味深いものに、『黒人の嘆き、あるいは砂糖はどのように作られるのか』(一八二六)(図30)がある。[29] クエーカーの出版者ウィリアム・ダートン(子)によって出版された。親きょうだいから引き離され、アフリカから西インド諸島へと連れて来られ、鞭打たれ、牛馬のように扱われる砂糖奴隷の黒人自身が、タイトルのとおりその嘆きを歌い、イギリスの子供たちに憐憫の情を起こさせるものである。また同時に、イギリス帝国の植民地の産物である砂糖の生産についての博物誌的な知識を与えるものでもあった。作者は慈善活動家で小説家のアミーリア・オーピーである。『アドライン・モウブレイ』(一八〇四)や『レイズ・フォー・ザ・デッド』(一八三三)などの作品で知られる教訓的作風の多作の作家で、リチャード・ブリンズリー・シェリダン、ウィリアム・ゴドウィン、メアリー・ウルストンクラフト等との交友でも知られる。画家のジョンと結婚後、ロンドンで暮らしたが、一八〇七年の夫の死後、故郷ノリッジに戻った。そこでクエーカー教徒となり、救貧院、病院、監獄での奉仕などの慈善活動にいそしむ。三〇年代以降は、聖書の普及活動と奴隷制廃止運動に情熱を傾けた。

ところで、クエーカーが奴隷制廃止をその重要な課題としたのは古く、一七世紀末にはすでに黒人の人権を奪うことの不当性が論議された。また奴隷貿易廃止協会の創設（一七八七）メンバー一二人の内、九人がクエーカーであった。彼らを中心とする運動の広がりもあり、奴隷貿易が廃止され、やがて奴隷解放が決定する。しかし、制度上の奴隷制廃止と、奴隷労働から当面イギリスが得る利益とのジレンマは解消しがたいものであり、その後も砂糖をはじめとする奴隷労働によって生産される商品は輸入され続けた。そのため、自由貿易の拡大に拍車がかかるまでの間、クエーカーの奴隷解放運動は、女性や子供をも巻き込んだ植民地産商品の不買運動というかたちに集中してゆく。『黒人の嘆き』は、実は西インド諸島産砂糖不買運動への参加を促すための子供向けパンフレットと言うべきものだったのである。この本がどの程度子供の読者に愛読されたかは定かではない。版元のダート

4　THE BLACK MAN'S LAMENT.

For know, its tall gold stems contain
A sweet rich juice, which White men prize;
And that they may this *sugar* gain,
The Negro toils, and bleeds, and *dies.*

But, Negro slave! *thyself* shall tell,
Of past and present wrongs the story;
And would all British hearts could feel,
To *end* those wrongs were *Britain's glory.*

Negro speaks.

First to our own dear Negro land,
His ships the cruel White man sends;
And there contrives, by armed band,
To tear us from our homes and friends;

THE BLACK MAN'S LAMENT.　5

From parents, brethren's fond embrace;
From tender wife, and child to tear;
Then in a darksome ship to place,
Pack'd close, like bales of cotton there.

図30　『黒人の嘆き』（1826）4－5頁

ン社はロンドンの有力な児童書の出版社であり、運動への支援の意味からも、一定の部数が刷られ販売されたと思われる。ただしブリティッシュ・ライブラリーに残るのは初版の二点のみであり、増刷の記録は見られない。

この書でもその主題は「残酷性」である。ここでは奴隷制のような野蛮な経済システムから、自由民による自由生産に基づく自由貿易体制への転換を求める上で、プランターや奴隷貿易商による独占的経済体制における黒人奴隷に対する残酷な待遇こそが批判の対象とされている。残酷性はそれ自体としてというより、「健全な」慈善活動によって正されるべき社会悪として抽象化されているのである。読者である中流階級の子供たちにとって、それはただちに自らに及ぶ危険ではありえなかった。

残酷性と児童文学の近代化

子供の本における残酷性の描写や扱いは、まさしくイギリス児童文学が古い世界観やピューリタン的な教訓主義から自立し世俗化する過程を象徴するものである。トリマーの『教育守護者』のおもに大陸起源の妖精物語批判に始まり、動物虐待防止運動や奴隷制廃止運動のなかで描かれるイギリス人の非道な行為への批判、『フェアチャイルド家物語』に見られる一九世紀前半に残る教訓主義に至る、子供を脅かす話題や描写は、やがて何らかの形で合理化され、抑え込まれていった。そこに近代的な児童文学の成立の裏で展開するもう一つの児童文学史を認めることもできよう。子供を読書の楽しみに誘い、想像力を刺激するとともに、社会的正義や公益の理念をも伝えるジョン・ラスキン、チャールズ・キングズリー、ジョージ・マクドナルド等のヴィクトリアン・ファンタジーの名作が登場するのは、その数十年後である。

注

（1）*The Guardian of Education*, II, pp. 185, 448. Mary F. Thwaite, *From Primer to Pleasure in Reading: An Introduction to the History of Children's Books in England from the Invention of Printing to 1914 with an Outline of Some Developments in Other Countries* (Boston, 1963), p. 60を参照。トリマーの『教育守護者』における反ジャコバン主義については、本章と一部重複する内容を含む拙著『マザー・グースとイギリス近代』（岩波書店、二〇〇五）第三章のほか、M. O. Grenby, “A Conservative Woman Doing Radical Things”, Sarah Trimmer and *The Guardian of Education*’, in *Culturing the Child 1690–1914: Essays in Memory of Mitzi Myers*, ed. by Donelle Ruwe (Lanham, Maryland, 2005), pp. 137–61も見よ。

（2）*The Guardian of Education*, II, p. 186.

（3）[Anon.], *The Parental Instructor; or, A Father's Present to Children* (London, 1820). *From Instruction to Delight* (Toronto, 1982), ed. by Patricia Demers and Gordon Moyles, pp. 77–78に引用されている。

（4）M. [Charles] Perrault, *Histories, or Tales of Past Times: With Morals*, 2nd edn (London, 1737). Perrault, *Histories or Tales of Past Times Told by Mother Goose with Morals*, ed. by J. Saxon Childers (London, 1925) の序論、注を参照。前掲の拙著第一章も見よ。

（5）『完訳ペロー童話集』新倉朗子訳、岩波文庫、一九八二、一七九–八〇頁。

（6）[Anon.], *The History of Little Red Riding-Hood, in Verse* (London, 1807).

(7) Humphrey Carpenter and Mari Prichard, *The Oxford Companion to Children's Literature* (Oxford, 1984), p. 320（ハンフリー・カーペンター、マリ・プリチャード『オックスフォード世界児童文学百科』神宮輝夫監訳、原書房、一九九九、八頁）を参照。

(8) Charles Dickens, 'A Christmas Tree', in *Christmas Stories* (Oxford, 1956), pp. 1-8 (p. 7).

(9) Mrs [Dinah Maria] Craik, *The Fairy Book: The Best Popular Fairy Stories Selected and Rendered Anew* (London, 1863).

(10) *The Letters of Charles Dickens*, 11 vols (Oxford, 1965–99), V, 1847–49, ed. by Graham Storey and K. J. Fielding (1981), p. 52.

(11) Mme [Clara de] Chatelain, *Merry Tales for Little Folk* (London, 1868). Iona and Peter Opie, *The Classic Fairy Tales* (New York, 1974), p. 121（オピー夫妻編著『妖精物語』上下、神宮輝夫訳、草思社、一九八四、上、一八七頁）を参照。

(12) Felix Summerly, *The Traditional Faëry Tales of Little Red Riding hood, Beauty and the Beast & Jack and the Beanstalk* (London, 1845), pp. 22–23.

(13) Richard Henry Horne, 'A Witch in the Nursery', *Household Words* (20 September 1851), in *A Peculiar Gift: Nineteenth Century Writings on Books for Children*, ed. by Lance Salway (Harmondsworth, 1976), pp. 173–94.

(14) Joseph Jacobs, *English Fairy Tales* (London, 1890; repr. 1984). チャップブックからの引用は Opie, 74（邦訳、上、四八頁）。

(15) [Charles Perrault], *The Fairy Tales of Charles Perrault, Newly Translated by Norman Denny* (London, 1950 [1951]); [Charles Perrault], *The Fairy Tales of Charles Perrault. Translated with an Introduction by Geoffrey Brereton* (Harmondsworth, 1957).

（16）*German Popular Stories, Translated [by Edgar Taylor] from the Kinder und Hausmärchen, Collected by M. M. Grimm, from Oral Tradition*, 2 vols (London, 1823, 26); later edn in one vol with an Introduction by John Ruskin (London, 1907). Thwaite 前掲書、pp. 90-92を参照。

（17）『改訳グリム童話集』全七冊、金田鬼一訳、岩波文庫、一九七五、第二冊、二八六頁。*German Popular Stories* (1907), p. 150. 英訳版の末尾の改変についてはOpie, p. 259（邦訳、下、一四一－四二頁）の注も見よ。

（18）George Cruikshank, 'To Parents, and Guardians, and All Persons Intrusted with the Care of Children', in *Puss in Boots* (*George Cruikshank's Fairy Library*, a bound volume of five stories (London, [1865])), pp. 30-40 (pp. 34, 36).

（19）Cruikshank, *Hop-O'My-Thumb and the Seven-League Boots* (London, 1853).「複刻 世界の絵本館——オズボーン・コレクション」（ほるぷ出版、一九八二）の版がある。

（20）Charles Dickens, 'Frauds on the Fairies', Household Words (1 October 1953), in Salway.

（21）Willam Makepeace Thackeray, *Miscellaneous Papers and Sketches Hitherto Uncollected* (Boston, 1899), p. 98.

（22）新興市民階級と妖精物語の新しい受容の傾向については、Jack Zipes, *Breaking the Magic Spell: Radical Theories of Folk and Fairy Tales* (London, 1979); Zipes, *The Trials and Tribulations of Little Riding Hood* (London, 1983) を参照。

（23）John Foxe, *The Book of Martyrs* (London, 1563). 小論の筆者が見たものは *Facsimile of John Foxe's Book of Martyrs: 1583 Acts and Monuments of Matters Most Speciall and Memorable* (Oxford, 2001). 児童書としては、たとえば [Oliver Goldsmith], *An History of the Lives, Actions, Travels, Sufferings, and Death of the Most Eminent Martyrs, and Primitive Fcthers of the Church* (London, 1764).

（24）John Rowe Townsend, *Written for Children: An Outline of English-Language Children's Literature*, 3rd edn (London, 1983), p. 7（J・R・タウンゼンド『子どもの本の歴史——英語圏の児童文学』上下、高杉一郎訳、岩波書店、一九八二、上、一一頁）。

（25） Sarah Trimmer, *A Concise History of England*, 2 vols (London, 1808).

（26） Mrs [Mary Martha] Sherwood, *The History of the Fairchild Family; or, The Child's Manual* (London, 1818; 13th edn. London, 1839), pp. 55–60. Marilyn Butler 教授とのゴシック小説と児童文学の関係についての対話のなかでこの作品が話題となった。教授の著書に「『フェアチャイルド家物語』の作者シャーウッド夫人の作品における「地獄の業火と臨終の悔恨」についての言及がある。Marilyn Butler, *Romantics, Rebels and Reactionaries: English Literature and its Background 1760–1830* (Oxford, 1981), pp. 96–97.

（27） M. Nancy Cutt, *Mrs. Sherwood and her Books for Children* (Oxford, 1974), p. 66を参照。

（28） I. Watts, *Divine Songs, Attempted in Easy Language. For the Use of Children* (Derby, [1840?]), pp. 259–60.

（29） Amelia Alderson Opie, *The Black Man's Lament; or, How to Make Sugar* (London, 1826). 同書については前掲の拙著第七章で詳しく論じた。

第六章　妖精物語論争と近代的児童文学観の成立

――『ジョージ・クルックシャンクの妖精文庫』（一八五三―六四）

妖精物語の挿絵画家としてのジョージ・クルックシャンク

ジョージ・クルックシャンクは、チャールズ・ディケンズの『ボズのスケッチ集』（一八三六）や『オリヴァー・ツイスト』（一八三八）の挿絵画家としてその名が知られている。しかし、前章で論じたエドガー・テイラーによるグリム童話の最初の英訳『ドイツ民話集』（一八二三、二六）や、やはりテイラー初訳のジャンバティスタ・バジーレの『ペンタメローネ』（一八四八）などの童話集、あるいはトマス・カイトリーの『妖精神話学』（一八五〇）のような民俗学的著作に優れた挿絵を提供した妖精世界の画家でもあった。(1) またクルックシャンク自身も「親指小僧」「シンデレラ」「長靴をはいた猫」など、「マザー・グースの物語」としてイギリスに伝えられたシャルル・ペローの妖精物語とイギリスの民間伝承の物語「ジャックと豆の木」から成る『妖精文庫』全四巻（一八五三―六四）を編集・執

筆していることもすでに前章で紹介した。一八六五年頃に一巻本として再刊され、一九世紀の間に幾度か版を重ねた。[2] しかし今日ではこの『妖精文庫』はその装飾的で円熟した挿絵への評価をのぞけば、全面禁酒運動などヴィクトリア朝の時事的な話題を盛り込んだ道徳主義的な再話集としてのみ語られることが多い。[3] 第一冊『親指小僧』（一八五三）（図31）の出版後間もなく、ディケンズがその編集行為を厳しく非難し、クルックシャンクがそれに反論したことに端を発する論争の顛末は、ディケンズ

図31　ジョージ・クルックシャンク『親指小僧』(1853) 挿絵

の文壇への登場以来の二人の交友に転機をもたらしたことでも知られる。[4] 当時は、おりしも、メアリー・F・スウェイトが指摘するように、「古い伝承の妖精物語が子供にとって価値のあるかたちであらためて出版されるようになった」時期であると同時に、「子供のための想像的な著作の黄金時代の始まりを告げる時期でもあった。[5]」以下では、そのような近代的な児童文学の成立期における民間伝承の物語の理解と、児童書の編者が意図的に物語を改変することの是非をめぐって、やがてウィリアム・コールドウェル・ロスコー、ジョン・ラスキン、後には先駆的な民俗学者等をも巻き込んで展開されたこの論争を検討したい。

妖精物語論争の顛末――クルックシャンク、ディケンズ、ラスキン

ペローの「親指小僧」は、貧困から子供を養うことのできなくなった樵の両親によって森に捨てられた七人の兄弟が、道に迷った果てにたどりついた人食い鬼の館から、末っ子の親指小僧の機転と狡知でその財産を奪って逃げのび、無事に家に戻るまでの冒険を描く物語である。一七二九年にペローの童話が英訳されて以後、マザー・グースの物語の一篇として、口承やチャップブックによってイギリス各地に伝播したものであった。[6]

『妖精文庫』の第一冊『親指小僧』は、クルックシャンク自身による表紙と六枚の挿絵入りでデヴィッド・ヴォーグによって出版された。この再話では、人食い鬼が親指小僧に騙され、七人兄弟と間

違えて自分の幼い七人の娘の首をはねてしまう場面が削除されたり[7]、逆に子供たちに早寝早起きなどの生活規律を求める教訓が付け加えられるなど、大衆的な道徳観を含んだ物語に改められている。しかしこの版にさらに顕著な特徴は、全面禁酒運動、自由貿易、公教育など、同時代のさまざまな時事的な話題が物語のなかに導入され、当時の中流階級にとっての公益の理念が展開されていることである。この物語の伝統的な末尾は、親指小僧は「そのようにして、全員身が立つようにするとともに、自分も申し分のないほど立派に王さまのご機嫌うかがいをつとめたのだ、と。[8]」と締めくくられる。それに対しクルックシャンクの版では、樵ではなく、飲酒癖で財産を失う前は伯爵であった親指小僧の父親が、悪癖から立ち直り、首相に任じられて飲酒禁止令をはじめとする多くの法律を制定する。

ディケンズの親友であり、その最初の評伝の著者でもあったジョン・フォースターは『親指小僧』が出版されるとすぐに『エグザミナー』誌一八五三年七月二三日号に書評を寄せている。彼はクルックシャンクの挿絵を絶賛し、物語のなかで教訓や社会的な見解が述べられていることも認めたうえで、読者にその購読を勧めた[9]。

ディケンズが、自ら主幹をつとめる『ハウスホールド・ワーズ』誌一〇月一日号の巻頭に発表した論説「妖精たちへの詐欺行為」は、「どの時代にもまして、功利主義の時代においては、妖精物語が尊重されることが非常に重要」なのであり、それを「有益な状態で保存すべきである」という認識に立ち、クルックシャンクの伝承の改変を厳しく非難するものであった。ディケンズは、一八四〇年代からの妖精物語の流行を背景に、一八五〇年代から六〇年代にかけて、『ハウスホールド・ワーズ』

や同じく自らの『一年中』誌（*All the Year Round*）にリチャード・ヘンリー・ホーンの「子供部屋の魔女」やヘンリー・モーリーの「妖精の学校」など複数の論説を掲載し、妖精物語の擁護運動を展開したが、「妖精たちへの詐欺行為」もその一環として発表されたものである。[(10)]

妖精物語を有益な状態で保つには、それらがあたかも実際にあったことのごとくに、できる限りその単純さ、純粋さ、無垢な突飛さのままに保たねばならない。何人によるものであれ、またどのような考えであれ、自説にそぐうようにそれを改変することは、自分のものでないものを横領する厚かましい行為であり、犯罪であると考える。[(11)]

ディケンズは画家としてのクルックシャンクを「妖精物語に対する完璧な理解を示している」と賞賛したうえで、その再話における編集行為については、「彼がこのようなことを行う権利に対して、われわれは力の限り抗議する」と糾弾した。ディケンズにとって、妖精物語は現代の危機を明確にし、その本質的な解決を示す最も有効な手段なのであり、子供の心に「忍耐、礼儀、貧者や老人への思いやり、動物の愛護、自然への愛、圧政や暴力に対する憎悪」[(12)]などを育てる力のある文化遺産として保存されなければならなかった。さらにこの論説の末尾には極端な改変を含む「シンデレラ」がつけ加えられ、クルックシャンクに倣って伝承の妖精物語を同時代の道徳観や世界観によって書き直すことが、いかに物語を滑稽なものにしてしまうかを戯画のかたちで示した。年少者禁酒同盟に所属するシンデレラは、やがて両親を失い、伝承どおりに継母と義姉妹の虐待を受けながらも美徳の勝利によって王子と結ばれ、女王となるが、遂には極端な独裁的女権論者となる。

女王が食べたことのないものを食べた者、飲んだことのないものを飲んだ者は全員無期禁固刑に処されました。（中略）また彼女（女王。引用者注）は、選挙権、被選挙権、立法権をすべての同性に与えました。そのため、女性たちは常に栄えある公的生活を忙しく送ることとなり、誰からもあえて愛されることもありませんでした。そしてその後いつまでも幸せに暮らしました。[13]

『妖精文庫』の第二冊『ジャックと豆の木』（一八五四）も、巨人を酒造りのために国じゅうの収穫を略奪して回る酒びたりの悪鬼として描くなど、イギリスの古い物語を、前作と同様の方針のもとに書き改めたものであった。クルックシャンクはその出版と同時に、「チャールズ・ディケンズ殿への親指小僧よりの書簡」と題される文章を『ジョージ・クルックシャンクス・マガジン』の二月号に発表し、物語の主人公の口を借りてディケンズの批判に答えた。これは後に小冊子としても出版され、さらに『妖精文庫』の第四冊『長靴をはいた猫』（一八六四）の後記にもほぼそのままのかたちで収められた。[14]

クルックシャンクの主張は、本来妖精物語はさまざまな国のさまざまな本のなかで改変されてきたのであり、『妖精文庫』の改変はあくまでも物語を家庭向きに直し、幼い読者に良い教訓を与えるためにのみなされたものであること、また、ディケンズが賛美する伝承の物語に含まれる多くの不道徳で非宗教的な部分は、出版の際に当然削除されるべきであることなどであった。クルックシャンクによれば、「ジャックと豆の木」の類話「巨人殺しのジャック」は「まさに虐殺と殺戮の連続」でしかなく、「親指小僧」は「嘘つきと泥棒」の物語であり、「長靴をはいた猫」は「欺瞞の連続であり、巧妙な嘘つきの教えであり、途方もない世俗の報酬を得るぺてんの体系」なのであった。(15)「小さい女の子や男の子は時に悪さをしますが、大人になると残念ながらとても悪いことをするようになります。ディケンズ氏がその保存を切望する、単純さ、純粋さ、無垢さが、そのことに何らかの影響を及ぼしているのではないでしょうか。(16)」

こうした反論に対しディケンズ自身はあらためて答えていない。クルックシャンクと『妖精文庫』への批判は、その後『インクワイヤリー』誌の論説「子供の妖精物語とジョージ・クルックシャンク」によって引きつがれた。筆者は詩人・劇作家・批評家のウィリアム・コールドウェル・ロスコーであった。創作物語絵本の先駆けとなった『蝶の舞踏会ときりぎりすの宴会』（一八〇七）の作者ウィリアム・ロスコーはその祖父にあたる。(17)

ロスコーは、クルックシャンクの再話においては「歴史と物語、事実と幻想、現代の慈善活動と古い世界の善意とが、単純で真実に満ちた昔の物語の歪められた戯画のなかにいっしょに塗り固められている」と批判した。「歴史とフィクションを区別することなく混ぜこぜにすることほど子供に害を及ぼすものはない。だれしも直感的にそれはまずいと気づくと思うが、必ずや子供の趣味を堕落させ、また真実に対する感覚を混乱させるであろう。」[18]『ジャックと豆の木』で物語がアルレッド大王治世の出来事となっている奇妙な設定についてのロスコーの指摘には、クルックシャンクは続刊の『シンデレラ』（一八五四）の後記で、エジンバラで出版されたある古い刊本を踏襲したものであると抗弁している。[19]

第三冊『シンデレラ』（図32）は、ディケンズによる戯画以上に戯画的とも言えるものであった。末尾で、国王がシンデレラと王子の婚礼に際して、葡萄酒の噴水を国じゅうに設ける命令を出そうとすると、代母の妖精は、その結婚を祝うのと同じ強い酒には「きまって、不健康と不幸と犯罪がつきものである」としてそれに反対する。[20]第四冊の『長靴をはいた猫』でも、狡知に長けた奇妙な猫が主人公を助ける魔術的な世界観を示すこの有名なペロー童話は、「たとえ世間では高い地位にいると思われない商人でも、人の役に立ち正直な人間であるならば、人々から大いに尊敬されるものです」[21]と言う猫のせりふに象徴される市民階級の道徳観を含む物語に変貌している。

ところで、かつてクルックシャンクが挿絵を提供したグリム童話集の英訳二巻本『ドイツ民話集』は、一八六八年に挿絵入りのまま一巻本として復刊された。ジョン・ラスキンはそれに「妖精物語」という題の序文を寄せている。ラスキンがクルックシャンクの挿絵を、その筆致の風格においてレンブラント以来匹敵するものなし、あるいはそれを凌ぐ、と絶賛したことでも有名なこの序文は、たしかにこの画家の優れた技倆を人々にあらためて印象づけるものであった。しかしそれは同時に、伝承の「歴史的価値」の理解に基づいて、クルックシャンクによる編集行為をあらためて問い直し、いわ

図32　クルックシャンク『シンデレラ』(1854) 挿絵

ば一連の論争を締めくくるものでもあった。ラスキンは、妖精物語を「真の歴史的価値を持つ伝承の遺産」であると述べ、その自然な歴史的変化と、故意の改変との違いを明らかにして、次のように論じた。

特定の趣味に合わせて、また好みの教義を教え込むために、思うがままに勝手に物語を改変したり手直ししたりすることには大きな弊害が伴う。それは、そういうことがなければ、本来子供のなかにあり想像的なヴィジョンに資するはずの何らかの信仰を表現する子供の能力を、もろに破壊してしまうのである[22]

残酷な場面や近代的な市民道徳に反する登場人物たちの行動や性向を描く伝承の妖精物語を、反社会的な行動へと子供たちを導くものであるとする批判は、すでに一八〇〇年前後から見られた。それはフランス革命由来の過激思想への警戒や敵視を背景に、トリマーのような保守主義の教訓作家たちにおいて顕著であった。しかし物語そのものを否定するそうした態度はヴィクトリア朝社会の規範が確立されるにしたがい徐々に姿を変え、市民階級の子供たちの道徳観や世界観を育てるのにふさわしい物語への積極的な改変へと変化するのである[23]。前章で紹介したフェリックス・サマリーの『伝承妖精物語集』(一八四五)にも見られたそうした傾向を、クルックシャンクの『妖精文庫』は最も極端なかたちで示すものであった。

とは言え、そのような伝承の改変によって妖精物語の価値が再認識されたことと、伝承の改変に対し厳しく抗議し、その保存すべき文化遺産としての価値を説くディケンズやラスキンに見られた態度とは、実は必ずしも深く対立するものではなかった。以下に論じるように、そのいずれも伝承に近代的な価値が付与される過程としてとらえられるのである。

妖精物語と民俗学

リチャード・M・ドーソンは、イギリスの民俗学研究においては「一九世紀を通して、口承の原文に忠実でなければならないという観念が十分に確立されることはなかった」[24]と述べている。編者がその意図に合わせて伝承の物語を改変することは、クルックシャンクのような通俗的な道徳観を持った児童文学者だけに限らず、一八七八年に設立された民俗学会（The Folk-Lore Society）の草創期に活躍した著名な研究者たちのなかにも認められるものであった。イギリスで最初の本格的な妖精物語集となった『青色の妖精の本』[25]（一八八九）を始めとする一二冊の童話集で知られるアンドルー・ラングも、蒐集の学問的な厳密さよりも、むしろ伝承の物語の大衆化に功績があった。その『青色の妖精の本』の翌年に出版された『イギリス妖精物語集』（一八九〇）[26]（図33）のジョゼフ・ジェイコブズも、注のなかで物語の起源や類話についての詳しい資料を示しながらも、いくつかの逸話を折衷したり、残酷な出来事や描写を省くなど、子供の読者の嗜好とおぼしきものに合わせた多くの改変を行っている。

ENGLISH
FAIRY TALES
COLLECTED BY
JOSEPH JACOBS
EDITOR OF "FOLK-LORE"
ILLUSTRATED BY
JOHN D. BATTEN

LONDON
DAVID NUTT, 270 STRAND
1890

図33　ジョゼフ・ジェイコブズ『イギリス妖精物語集』(1890) 口絵と扉

そのような改変を人類学的魅力の欠如をまねくものであるとするエドウィン・シドニー・ハートランドやジョージ・ローレンス・ゴム等による厳格な民俗学の立場からの批判[27]に答えて、ジェイコブズは『続イギリス妖精物語集』(一八九三)の序言で次のように書いた。

> 弁明するなら、私は子供たちの想像を一連の明るいイメージで満たすことを、民俗学の科学の尊重と同じくらい神聖な目標として意識していたということであろう。(中略)なぜ私は他の語り手と同じ特権を持ちえないのだろうか。少なくとも私は、デボンシャーやランカシャーの農民と同程度には、英語での物語の語り方がわかっているというのに。[28]

ドーソンは「民俗学研究の歴史において、この原文を改竄する権利ほど誤った有害な主張がなされたことはない[29]」と記している。

たしかに、この時期には、W・R・S・ラルストンが『民俗学資料』第一巻（一八七八）（図34）で「蒐集者が聴取したとおりに記録し、確証のために十分な引照を付すことが絶対的に必要であることは、いくら強調しても足りることはない」と記していた[30]。またハートランドも『妖精物語の科学』（一八九一）のなかで、語り手にとっては「自分自身が先人たちから聞いた通りのものを聞き手に伝える努力が最も重要」であり、「資料は文盲の語り手の口から直接蒐集されるべきである」と主張していた[31]。すでにそうした口承に対する忠実性の理念が学問的に広く支持されるようになっていたのである。ラングの童話集と同様、ユーモアや子供に親しみやすい文体など、児童書としては優れた特徴を持ち、当時の多くの読者に歓迎されたジェイコブズの再話集も、民俗学の科学性の理念の前には否定的な評価を受けなければならなかった。しかしきわめて逆説的なことに、一九世紀後半において、民間伝承の物語の変質を促したもうひとつの要因が、実は物語の

図34　『民俗学資料』第１巻（1878）表紙

改変や改竄とは明らかに対立する、このような伝承の保存をめざす民俗学の科学性の観念であった。

民俗学会はゴム、ラルストン、そしてマックス・ミューラー、エドワード・タイラー等を会員に一八七八年に設立された。学会の目的が「民間伝承の保存と出版[32]」にあることが会則に明記され、伝承の世界はそれ以後、本格的に民俗学の体系のなかに編成されてゆく。物語の正統的な版の確立と保存をめざす科学的な蒐集、記述、出版を通して、民話は選別され、分類され、その時代の文体に整えられ、固定されてゆく。そしてジャック・ザイプスが言うように、「ひとたび蒐集され、印刷されて本になると、物語は本来の民衆の世界ではほとんど読まれなくなり、流布されなくなった。[33]」この時代に伝承の妖精物語が被った最大の変質は、すでに一八世紀に始まる口承文化の衰退や知識の伝達を目的とする大衆的な出版の興隆とも対応して、それまで人々が口承や、あるいはチャップブックなどを通して代々遺し受け継いできた伝承の行為そのものが含んでいた共同体の文化としての性格の喪失であった。伝達の形態をも含めて、多くの素朴さを留めていた民間伝承の世界は、この時期以後、近代的な子供の本においては、残酷性に象徴される異教的、あるいは反社会的な世界観が取り除かれ、健全な市民としてふさわしい個人を育てる教養として再編成されてゆく。それと同時に、科学的な民俗学の対象としては、保存すべき民族の文化遺産として体系化されてゆく。

ディケンズ、クルックシャンク、ラスキン、ジェイコブズ、そしてハートランドは、それぞれに立場は異なっていても、いずれも、伝承の妖精物語が、市民のための文化遺産として保存されるべき「歴史的価値」を付与され、近代的な児童文学観と科学的な学問としての民俗学の発展のなかにとり込まれ、変質してゆく歴史的な過程を、その矛盾する態度によって逆説的に象徴していた。それは、世紀初頭における妖精物語の残酷性や非宗教性の否定に認められた、ヨーロッパ民衆の古い世界観と近代的な市民意識との相剋や矛盾が、改竄と保存という本来相反する理念のもとに、しかしいずれの場合にもあらためて問題化され、やがて受容されていった過程を示していると言える。

妖精物語の二つの神聖化——近代的児童文学観の成立

民間伝承の妖精物語は、以上のような歴史的経過のなかで、ようやくイギリスの近代的な児童書における文字どおりの市民権を獲得した。それは、ピューリタンや啓蒙勢力、あるいはトリマーのような教訓主義的作家によって敵視され、警戒されてきた異教的で反社会的な世界観を含む伝承の物語が、ヴィクトリア朝時代において、一方では市民道徳を反映した健全な児童文学の理念のもとに神聖化され、もう一方で民俗学の科学性の理念のもとに神聖化されることを通して、近代化され変質した過程を示すものであった。

一八四〇年代には、すでに触れたサマリーの『伝承妖精物語集』のほかにも、アンブローズ・マートンの『イギリス昔話集』(一八四五)、あるいはアンソニー・モンタルバの『諸国妖精物語集』(一八四九)[34]のような世界の国々の民話を集めた楽しい再話集が次々に出版され、読者に受け入れられた。クルックシャンクの『妖精文庫』ももちろんそうした流行を受けて刊行されたものであったが、この時期にはすでにモンタルバがその童話集のなかで、妖精物語を不道徳的なものであるとするような「愚かしい物知り顔」を人々はもう捨て去っていると書いている。[35] いずれにしても、このような流行に見られる児童書における妖精物語への人々の大きな関心と期待が、やがて世紀後半の学問的な厳密さをめざす民話集の出版へと発展していった。そして同時にそれは、ジョン・ラスキンの『黄金の川の王様』(〔一八五一〕)やマーガレット・ガティの『妖精の名付け親』(一八五一)、あるいはウィリアム・サッカレーの『バラと指輪』(一八五五)やフランシス・ブラウンの『おばあさんの不思議な椅子』(一八五六)、さらにはチャールズ・キングズリーの『水の子』(一八六三)[36] にいたる、後にイギリス児童文学の「聖典(キャノン)」となる多くの創作妖精物語あるいはファンタジーの興隆をもたらしたと考えることができる。民間伝承の妖精物語の受容は、このようにして、当時の市民意識に対応する児童観と新しい科学としての民俗学との矛盾を孕んだまま、世紀後半からの「子供の本の黄金時代」における近代的な児童文学観の成立のなかに吸収されていった。

一九世紀半ばにイギリスの児童文学が大きく発展したことと、伝承の妖精物語が急激にその姿を変え、本来の性格を失っていったこととの間には、したがって、深い関係があったと言える。クルックシャンクの『妖精文庫』にその典型を見ることのできる伝承の物語の改変は、今日でも一般に否定的にとらえられることが多い。しかし伝承の世界の衰退はそうした道徳主義的な態度のみがもたらしたものではない。むしろ、民衆的な伝統に支えられた力強い文芸形式が、さまざまな要因によってその基盤を失ったのとほぼ同時に、そのような改変の努力が必要になったと考えることができる。それには昔話や創作妖精物語を黙読する子供という近代的な存在が前提となる。民衆的な文学をその母胎とする子供の文芸の世界が、民衆教育の普及や児童書の出版産業の拡大を背景に、やがて近代的な児童文学として自立する過程は、まさしく、伝承の理念が大きく変質していった過程に対応している。[37]学問的な民話集と並んで登場した創作妖精物語は、多くの場合昔話の文体や表現を模倣している。[38]またそれらが妖精や魔女の信仰などの古い民衆文化の要素を素材としていることは言うまでもない。それだけでなく、イギリスの児童文学が一九世紀以降、おそらくは今日にいたるまで、伝承の近代化の過程で変質し、喪失した古い世界観の復権を絶えず試みているように見えるのも、おそらくこのことと無関係ではない。それは、イギリスの近代児童文学が、その成立期に孕んでいた民間伝承の妖精物語の改変と保存に象徴される矛盾に富んだ性格を、それ以降も持ち続けていることを示している。

注

（1）Charles Dickens, *Sketches by Boz* (London, 1836); Dickens, *Oliver Twist* (London, 1838); *German Popular Stories, Translated* [by Edgar Taylor] *from the Kinder und Hausmärchen, Collected by M. M. Grimm, from Oral Tradition*, 2 vols (London, 1823, 26); later edn in one vol with an Introduction by John Ruskin (London, 1907); Giovanni Battista Basile, *The Pentamerone, or The Story of Stories, Fun for the Little Ones, Translated from Neapolitan by John Edward Taylor* (London, 1848); Thomas Keightley, *The Fairy Mythology: Illustrative of the Romance and Superstition of Various Countries* (London, 1850). クルックシャンクの挿絵入りのグリム童話集はただちにドイツでも出版された。現代では dtv klassik 版グリム童話集二巻本の挿絵は

クルックシャンクのものである。英語版では Puffin Classics に見られる。

（2） *George Cruikshank's Fairy Library* (London, [1865]).『妖精文庫』の復刻版には *The Fairy Library Series* (New York, 1978) がある。

（3） F. J. Harvey Darton, *Children's Books in England*, 3rd edn (Cambridge, 1982), pp. 97-99; John Rowe Townsend, *Written for Children*, 3rd edn (London, 1987), pp. 75-76（J・R・タウンゼンド『子どもの本の歴史――英語圏の児童文学』上下、高杉一郎訳、岩波書店、一九八二、上、一二九－三一頁）を参照。

（4） Frederic G. Kitton, *Dickens and his Illustrators* (London, 1899) のクルックシャンク章の特に pp. 26-27; Harry Stone, *Dickens and the Invisible World: Fairy Tales, Fantasy, and Novel-Making* (London, 1979), chap. 1; Jane R. Cohen, *Charles Dickens and his Original Illustrators* (Columbus, 1980), chap.1 の特に pp. 31, 34-35 を参照。青木健「児童文学擁護論――ディケンズ vs. クルックシャンク」(『成城文藝』二一七号、二〇一一年一二月、(1)－(18)頁）も見よ。

（5） Mary F. Thwaite, *From Primer to Pleasure in Reading: An Introduction to the History of Children's Books in England from the Invention of Printing to 1914 with an Outline of Some Developments in Other Countries* (London, 1963; repr. Boston, 1972), p. 100を参照。

（6） Charles Perrault, *Histoires, ou Contes du Temps Passé avec des Moralités* (Paris, 1697); *Histories, or Tales of Past Times: With Morals*, 2nd edn (London, 1737). Iona and Peter Opie, *The Classic Fairy Tales* (New York, 1974), pp. 29-30, 169, 326)（オピー夫妻編著『妖精物語』上下、神宮輝夫訳、草思社、一九八四、上、一六六、二〇六頁、下、xiv頁）を参照。

（7） Gustave Doré 挿絵のペロー童話集 *Les Contes de Perrault. Dessins par Gustave Doré* (Paris, 1862) の英訳版 *Fairy Tales Told Again* (London, 1872) でもこの場面を描いた挿絵が削除された。Opie, p. 175（邦訳、上、一四三頁）を参照。

（8）『完訳ペロー童話集』新倉朗子訳、岩波文庫、一九八二、二五五－五六頁。

（9）Stone, p. 2を参照。

（10）Charles Dickens, 'Frauds on the Fairies', *Household Words* (1 October 1853); Richard Henry Horn, 'A Witch in the Nursery *Household Words* (20 September 1851); Henry Morley, 'The School of the Fairies', *Household Words* (3 June 1853). ディケンズ、ホーン、ロスコー、ラスキンの妖精物語論は Signal Reprints のシリーズとして *Signal* 誌に Lance Salway の解題を伴って紹介された後、いずれも *A Peculiar Gift, Nineteenth Century Writings on Books for Children*, ed. by Lance Salway (Harmondsworth, 1976) に収録された。

（11）Salway, pp. 111-12.

（12）同上書、一一二、一一一頁。

（13）同上書、一一七－一一八頁。

（14）Cruikshank, *Jack and the Beanstalk* (London, 1854); Cruikshank, 'A Letter from Hop-o' My-Thumb to Charles Dickens, Esq.', *George Cruikshank's Magazine* (February 1864); Cruikshank, *Puss in Boots* (London, 1864).

（15）Cruikshank, *Puss in Boots*, pp. 34, 38, 39.

（16）同上書、三九頁。

（17）William Caldwell Roscoe, 'Children's Fairy Tales, and George Cruikshank' (1854). Salway は *Signal: Approaches to Children's Books*, 9 (1972), 115-22 (pp. 115-16) でこの論説を紹介し、当時の文芸雑誌が積極的に児童書についての詳しい考察を掲載した事実を示すものとして興味深いと指摘している。William Roscoe, *The Butterfly's Ball and the Grasshopper's Feast* (London, 1807).

（18）Salway, pp. 123-24.

（19） Cruikshank, *Cinderella and the Glass Slipper* (London, 1854), p. 30.

（20） 同上書、二六頁。

（21） Cruikshank, *Puss in Boots*, p. 24.

（22） *German Popular Stories* (1907), p. x.

（23） ヴィクトリア時代における妖精物語の新しい受容の傾向については Michael C. Kotzin, *Dickens and the Fairy Tale* (Bowling Green, Ohio, 1972) の特に pp. 26-31; Jack Zipes, *Breaking the Magic Spell: Radical Theories of Folk and Fairy Tales* (London, 1979) を参照。拙著『マザー・グースとイギリス近代』（岩波書店、二〇〇五）第三章も見よ。

（24） Richard M. Dorson, Forward to *Folktales of England*, ed. by Katharine M. Briggs and Ruth L. Tongue (London, 1965), p. xii.

（25） Andrew Lang, *The Blue Fairy Book* (London, 1889).

（26） Joseph Jacobs, *English Fairy Tales* (London, 1890; repr. 1984).

（27） Dorson, *The British Folklorists: A History* (Chicago, 1968), p. 308-09を参照。Katharine M. Briggs, 'The Folklore Society and its Beginnings' in *Animals in Folklore*, ed. by J. R. Porter and W. M. S. Russell (Cambridge, 1978), pp. 3-20も見よ。

（28） Jacobs, *More English Fairy Tales* (London, 1893), pp. viii-ix.

（29） Dorson, Foreword, *Folktales of England*, p. viii.

（30） W. R. S. Ralston, 'Notes on Folk-Tales' in *Folk-Lore Record*, 5 vols (London, 1878-82), I (1878), p.72.

（31） Edwin Sidney Hartland, *The Science of Fairy Tales: An Inquiry into Fairy Mythology* (London,1891), pp. 20-21.

（32） *Folk-Lore Record*, I, p. viii.

（33）Zipes, p. 15.

（34）Ambrose Merton, *The Old Story Books of England* (London, 1845); Anthony R. Montalba, *Fairy Tales from All Nations* (London, 1849).

（35）Darton, p. 263に引用されている。

（36）John Ruskin, *The King of the Golden River, or The Black Brothers: A Legend of Stiria* (London, [1851]); Margaret Gatty, *The Fairy Godmothers and Other Takes* (London, 1851); William Makepeace Thackeray, *The Rose and the Ring; or, The History of Prince Giglio and Prince Bulbo* (London, 1855); Frances Browne, *Granny's Wonderful Chair, and its Tales of Fairy Times* (London, 1857); Charles Kingsley, *The Water Babies: A Fairy Tale for a Land-Baby* (London, 1863).

（37）oral tradition（口承）とsilent reading（黙読）との関係については、David Vincent, *The Rise of Mass Literacy: Reading and Writing in Modern Europe* (Cambridge, 2000), pp. 90-95, 102-03（デイヴィッド・ヴィンセント『マス・リテラシーの時代――近代ヨーロッパにおける読み書きの普及と教育』北本正章監訳、新曜社、二〇一一、一四〇－四八、一六〇－六二頁）を参照。

（38）谷本誠剛先生は二〇〇三年度筑波大学博士（文学）学位請求論文「昔話と児童文学の文体と表現――昔話から創作昔話へ」で、Isabell Jan, *On Children's Literature*, translated and ed. by Catherine Storr (New York, 1973), p. 30の「おそらく純正な児童文学はすべて、それぞれの文明の特徴を示す民話・伝説が今日に生きのびたものである」との理解に基づき、昔話と創作妖精物語の文体的共通性を詳細に分析している。拙論「谷本誠剛先生とジョウゼフ・ジェイコブズ」（『追想 谷本誠剛』レターボックス社、二〇〇七、一九七－九九頁）も見よ。

第七章　堕落しかつ無垢な子供たち
――チャールズ・ディケンズの「子供の文学」

「子供の文学」と「児童文学」

モリー・クラーク・ヒラードはチャールズ・ディケンズと児童文学の関係を扱う論文の冒頭で「およそ一九九〇年から二〇〇五年頃の歴史研究、文化研究の「黄金期」には、ディケンズの子供の表象に専門的な関心が寄せられた」と書いている。ディケンズ作品は、「家族」の歴史や心理学の研究に貢献し、ヴィクトリア朝の子供の社会階層や労働問題の研究、ジェンダーとセクシュアリティの研究への視野を提供し、さらには、「特権的な中流家庭の子供」と「堕落した労働者階級の子供」というヴィクトリア朝児童観のパラダイムの形成に与ったと言う。ディケンズの作品は「子供の文学（子供についての文学）」（Literature of the child）と言うべきものなのである。[1] 子供の表象の考察をせずにディケンズとその作品を考えることはできない。ディケンズは子供の出自や成長をめぐる多くの長編小説の著者であり、児童文学の名作『クリスマス・カロル』(一八四三)の作者でもあった。ディケンズの時代において、「子供の文学」といわゆる「児童文学」(children's literature)はどのような関係にあったのだろう。

『一九世紀の子供たち』のジリアン・エイヴァリーによれば、「ロマン主義的な無垢な子供のイメージというものが広く児童文学のなかに受け入れられるようになったのは、一九世紀後半のことである」[2]。たしかに、ディケンズのおもな小説の舞台となる世紀半ばまでのイギリスの子供の読み物における規範的な児童観となっていたのは、あいかわらず、アイザック・ウォッツの「神の選民はすべて、罪深く悲惨なこの世に生まれてくる」とするものであった[3]。原罪の教義によるピューリタニズムの伝統に基づくこのような児童観は、一八〇〇年前後の教訓主義として復興したあと、徐々にその影響力を弱めながらも、一九世紀の中頃にいたるまで子供やその教育をめぐる根強い理念として存続した。次節で見るように、ディケンズの作品にも登場人物が幼い頃に読まされたそのような「恐ろしい(gloomy)神学」を含む「忘れられた子供の本」の描写がある。それは長じてからの登場人物の人生を何らかの形で規定するものである。ディケンズの作品に描かれる子供たちは、こうした児童観と、それを部分的に克服した新たな児童観とが、大人たちの子供に対するさまざまな「関心」や「期待」のもとで矛盾しながら共存していたことを示すものであったと言える。

本章では、イギリスの近代文学における児童像や近代児童文学観の確立と深く関わったピューリタン的な児童観の残像とヴィクトリア朝時代の社会とのつながりのなかに、『大いなる遺産』(一八六〇

―六一）[4] など、ディケンズのおもに後期作品を「子供の文学」として読解したい。

ディケンズにおける忘れられた子供の本

『子供のための遺言』（一六七二）（図35）のジェイムズ・ジェインウェイは、死によって神に救われるまで、すべての子供には「地獄の刻印」があり、「地獄に落ちるのに幼な過ぎるということはない」と記す。また「その子はすぐにでも地獄へと駆けてゆく」[5] とも。罪深い子供たちの行いを物語るこのような子供のための著作に見られるピューリタン的な児童観の伝統は、たとえばディケンズの作品においては、『デイヴィッド・コパフィールド』（一八四九―五〇）の「マードストン姉弟の恐ろしい神学」として描かれているものである。

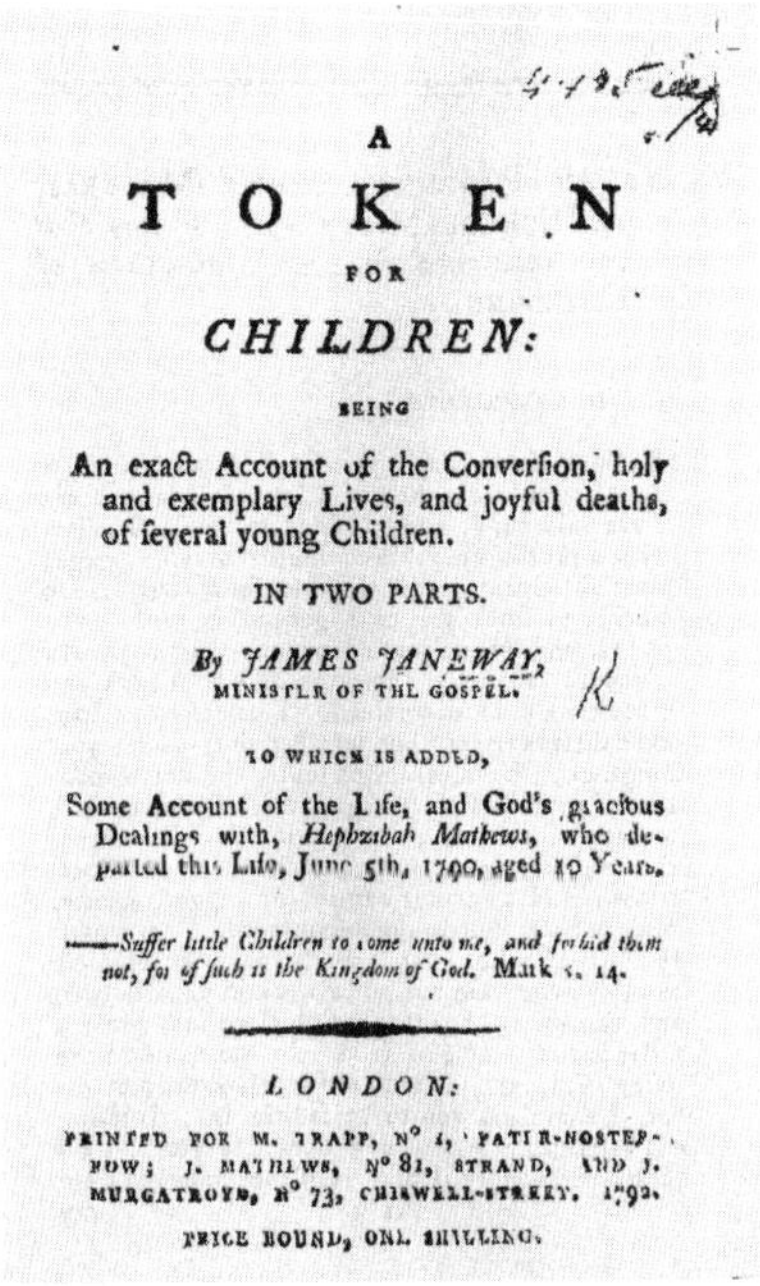

A TOKEN FOR CHILDREN: BEING An exact Account of the Conversion, holy and exemplary Lives, and joyful deaths, of several young Children. IN TWO PARTS. By JAMES JANEWAY, MINISTER OF THE GOSPEL. TO WHICH IS ADDED, Some Account of the Life, and God's gracious Dealings with, Hephzibah Mathews, who departed this Life, June 5th, 1790, aged 10 Years. —Suffer little Children to come unto me, and forbid them not, for of such is the Kingdom of God. Mark x. 14. LONDON: PRINTED FOR M. TRAPP, No 1, PATER-NOSTER-ROW; J. MATHEWS, No 81, STRAND, AND J. MURGATROYD, No 73, CHISWELL-STREET. 1792. PRICE BOUND, ONE SHILLING.

図35　ジェイムズ・ジェインウェイ『子供のための形見』（1792年版）扉

同じ年頃の子供たちと遊ぶこ

となどは、まずほとんどなかった。というのは、マードストン姉弟の恐ろしい神学によれば、いずれ子供たちなどというのは小毒蛇の集まりであり（もっとも、昔キリストの弟子たちの真ん中へさえ、一人引き出された子供はいたはずだが）、お互い毒し合うのに決まっている、というのだったからだ。(6)

『リトル・ドリット』（一八五五－五七）のアーサー・クレナムもまた、同じような環境のなかで「子供の頃の憂鬱な日曜日」を過ごしている。

子供の頃の憂鬱な日曜日。手を膝の上に置いて坐っていた彼は、恐ろしい宗教パンフレット（原文では tract. 引用者注）を見て気も狂わんばかりに怯（おび）えてしまった。その本たるや、まず哀れな子供を教育する仕事の手始めとして、表題からしてこう問いかけていたのだ。「何故汝は地獄に落ちねばならぬか？」――この好奇心を満足させることは、子供服に半ズボンの彼にはとうていできぬわざだった――その上子供の心を引きつけようとしてか、一行おきくらいに括弧（かっこ）がついて「（『テサロニケ後書』三章六、七節）」とかいうように、シャックリが出たような聖書参照の註がついていた。(7)

第二章でも触れたように、一九世紀半ばに子供時代を送ったある女性労働者は自伝のなかで、アイザック・ウォッツの「恐ろしい地獄が口を開け／果てることのない苦しみが待っている／暗黒と業火のなか、鉄鎖に繋がれ／罪人たちは悪魔とともに生きてゆく」といった恐ろしい詩節を日曜学校で暗唱させられたと記している。(8)

ところで、ディケンズの作品に登場する子供たちの多くはいわく因縁のある孤児である。それぞれの不幸な出生と境遇が「呪われた」出自として罪と天罰の現れであるとされる。それはその秘密にまつわる罪が、宗教的な意見合いを含みながら、同時に当時の人々の社会経済的認識と関わる、むしろ風俗的な関心であったことを示している。

たとえば『荒涼館』（一八五二）のエスタは、デッドロック卿の私生児であるために「おまえには誕生日なんかなかったほうが、生まれてこなかったほうが、どんなによかったか知れないのに！」「あのいまわしい誕生日の最初から恥じさらしの身になったのだから」と、母の罪とその罪の申し子であるという自らの出生の罪を誕生日のその日に、実は伯母である養母ミス・バーバリに告げられる。「毎週日曜日には教会へ三度ゆき、水曜と金曜には朝のお祈りに、講話があればそのたびに出かけて、一度もかかしたことが」なかったというそのカルヴィニストの養母は続けて次のようにエスタに諭す。

おまえのように暗い影をになって生まれてきた者がこの世の中で生きてゆくためには、まずその前に服従と、克己と、勤勉とを身につけなければいけません。おまえはほかの子供たちとはちがうんだよ、エスタ、みんなとちがって、なみなみならぬ罪と天罰とをうけて生れてきたんだからね。おまえは別なんだよ。[9]

「おまえはほかの子供たちとはちがう」と絶望的な宣告を受けるエスタは、その時代にいまだ根強い原罪の教義に基づく児童観の餌食としての呪われた子供像の典型である。それと同時に、むしろ、そうした教義にこの時代が付与していた社会経済的な意味の餌食としての呪われた子供でもあった。『イギリス社会の児童史』のアイヴィー・ピンチベックとマーガレット・ヒュウィットが言うように、市民の家庭においては、結婚と出産は、あくまでも経済的な価値基準のなかに意味づけられたものであったからである。

イングランドでは子供はほとんど重要視されることがなかった。実に多くの子供が青年期に達する前に死んだのである。長く生きることのできた者は、急き立てられるように大人として社会の諸階層へと組み込まれた。子供が有益なのは搾取できるからであり、価値があるのはその結婚が家の財産を増やすからである。しかし、個人よりも家の方が大事であると考えられ、また家の富を維持し発展させるという急務に大人たちの精力と関心が注がれるため、子供たちには注意が払われなかったのである。[10]

また、イギリス近代の中流階級の家の社会史『家の富』のリオノア・デイヴィドフとキャサリン・ホールは、この時代の中流階級の婚姻が家業の発展のために考えられたこと、また、たとえば再婚が、子供どうしの利害対立などを見越したうえで、なお人的財産と資産拡大の機会として肯定的にとらえられていたことなどの例を紹介している。[11]したがって、逆にエスタのように、そのような価値基準のなかに意味付けられない出生、すなわち無益で価値が無いだけでなく、やがてレディー・デッドロックを動揺させる、いわば家の運命にもその影を落とす出生こそ、当然、疑われ、卑しまれるべきなのである。

『大いなる遺産』(一八六〇―六一)のピップの罪悪感

一刻も早く大人の社会に組み込まれることのみが期待される下層階級の子供である『大いなる遺産』のピップ(図36)は、出身階層は異なるが、エスタと同様、やはりその誕生日から呪われこそすれ、祝福されない、あるいは少なくともそのように自らの生に深い罪悪感を抱かされてきた子供であった。ピップは、鍛冶屋への年季奉公で、親方ジョーの「強烈な勤勉の美徳」に感化される。子供は本来「邪悪さ」をもって生まれ、厳しい労働によってのみ贖罪と純粋さを獲得すると考えられたのである。[12]当時の子供たちに過剰に「克己」や「勤勉」が課されるのはこうした認識によるものであった。それは慈善学校や日曜学校の生徒が目にした多くのトラクトに登場する、むしろ無垢な子供たちが、自らの罪深さと、それが神への信仰によってのみ救われるものであることを自覚して暮らしているのと対応

図36　F. W. ペイルソープ画『大いなる遺産』挿絵《空地での恐ろしい出会い》

していると言える。[13] いずれにしても、彼らを傷つけ、生への恐怖心を抱かせるのは、実はその「呪われた」出生による社会的な罪悪感であり、それが宗教的な罪の意識にすりかわっているのである。パンブルチュック氏には「おまえは市場の値段におうじて、いくらいくらで売りとばされたろう」豚だと言われ、姉には「おまえなんか墓場へいっちまったほうがいい」と言われるピップは、幼かった頃の自分に対する姉ミセス・ジョーの態度を回想し、次のように語る。

> わたしはどうかというと、姉はわたしを、産科医警官に（それも誕生日に）ひっとらえられて、犯した法の威厳にてらして処罰するために、彼女にひきわたされた少年犯とでも思いこんでいたにちがいない。わたしはまるで理性や宗教や道徳の命令にそむき、最善の友人たちの説得に反対して、強引に生まれでたかのように、しょっちゅう取り扱われていた。[14]

生まれてくるべきではなかった、そしていますぐにも墓場へ行くべきだと罵られることは、やがて来るべき莫大な財産贈与によってもたらされる世俗的な生との際だった対照として見ることもできる。いずれにしても貧困と富裕は子供の生と死の文脈において語られる。こうして、自分は下等な、いやらしい生活をしているのだというピップの意識は、この引用に見られるように法や理性や宗教や道徳の規範に背く出生への罪悪感とも結びついている。『大いなる遺産』の中心的なテーマのひとつとして考えられてきたピップの「罪悪感」(guilt) についてもあらためて考えられるべきであろう。

罪深い／有罪の、無垢な／無罪の

言うまでもなく「有罪」と「無罪」とも訳される、'guilty' と 'innocent' をめぐって、たとえばQ・D・リーヴィスは、ディケンズは「粗野で洗練されていない」(coarse and common) ことに対するピップの「羞恥心」(shame) を描くことによって、彼の「罪悪感」(guilt) をいっそう強調し、それを道徳的であると同時に社会的なものにもしていると論じている。主として、姉の食物と義兄のやすりを盗み、囚人の逃亡に手を貸したことに由来する葬り去りたい過去における罪の意識は、エステラに対する憧れや劣等感と結びついてゆく。社会的地位に差のある「顔色の悪い青年紳士」ハーバートとの決闘も、動機としては「無垢」であっても、立場の上の者に傷を追わせることの罪に対する法的な報いを考えれば、罪の意識をもたらさずにはいない。逆に、姉の傷害に決定的に関与していると思われるそばに残されていた囚人の足枷と自分との関わりについては、法的には「無罪」であるが、姉を毛嫌いしてきたことによる道徳的な自責の念もあり、罪悪感は免れない。いずれの場合にも「有罪」であるが、しかも「無罪」(guilty yet innocent)、あるいは、「罪深く、なお無垢な」存在としてのピップ像が示されているとリーヴィスは言うのである。[15]

たしかに本来ピップの罪(guilt)は、道徳的、あいは宗教的な意味あいのものであると同時に、法律用語としての意味をも担っている。しかし、ピップの「罪悪感」の社会性は、それだけではなく、実は、すでに触れたように『荒涼館』のエスタと同様に、出生の「卑しさ」あるいは秘密を持つ「呪われた」子供として、罪深い大人たちの共犯者として、この時代の子供の「罪深さ」と「無垢」との関係そのもののなかに語られる。

『大いなる遺産』の主題を「罪と贖罪の病理学」であると言う『イギリス小説』のD・ヴァン・ゲントは、ディケンズの描く「罪深い社会」を、マルクス主義的な分析によって、「産業化や、植民地主義、そして人間を物として扱う搾取によってもたらされる」「人間の非人間化」によって特徴づけられるものとして説明し、ピップの罪をそうした社会から無垢な子供が受け継がざるを得ない罪であると論じる。[16]またライオネル・トリリングも『自由主義的想像力』で、「現実としてあるのは、ピップの紳士ぶった生活ではなく、この小説の地下世界における牢獄用廃船や殺人や鼠や腐敗なのである」と言う。[17]しかしディケンズとその時代の子供たちは、こうした苛酷な現実のなかで、大人たちの犯罪の犠牲になると同時に、実は自らも逃れるすべもなく罪深い子供たちとなってゆく。そのため、

「罪深い社会」の犠牲者である子供たちの地獄を告発する文脈は、常に子供たちをめぐるピューリタン的な原罪の教義の文脈と重なり、そこに法律用語としての、'guilty' と 'innocent' と、宗教的に用いられるそれらとの、おそらくは故意の混同が認められる。ディケンズの作品に特徴的なのは、イギリス帝国の発展を背景に、ヴィクトリア朝における社会と子供、大人と子供のいわば共犯関係に、道徳的、宗教的であると同時に、経済的、社会的な正当性をも与えたこの時代の子供の「無垢」と「罪深さ」をめぐる文脈の矛言のなかに、子供たちが痛々しいまでに繰り返し登場していることである。

イギリス帝国の堕落しかつ無垢な子供たち

『子供のイメージ』のピーター・コヴニーはディケンズの作品の子供たちについて、次のように述べている。

ディケンズ自身の子供時代と、同年代の多くの子供たちの運命は、過酷な社会がその犠牲者たちに対して犯した犯罪行為を象徴するものであった。そしてその犯罪に犯された患部というのが、まさに彼ら子供たちのもっとも奥深い心の領域であった。ディケンズの子供たちは、無垢の世界が無神経なおとなの世界と衝突するその時点でとらえられているのである。(18)

たしかに『荒涼館』のエスタや、『ニコラス・ニクルビー』（一八三八—三九）で主人公の叔父ラルフと遺産を受け継ぐことになっていた女性との秘密結婚で生まれたスマイクのように、その出生に秘密を持つ子供や、あるいは、父の遺産を独占しようと、異母弟であるオリヴァーを盗賊仲間に引き込み、出生のはっきりしない悪党にしておこうとするモンクスの悪意に満ちた試みに陥れられそうになるオリヴァー・トゥイストのような子供、そして、ピップのように恐るべき秘密の隠された莫大な財産を相続することとなる子供、その秘密に絡む驚くべき運命のもとに生を受けたエステラ、これらの子供たちは、いずれも、いわば「罪深い社会」の底部にうずまく欲望と悪徳のなかで犠牲となる子供たちである。しかし彼らはまた、その共犯者として常にその物語のなかに組み込まれてゆく。『大いなる遺産』という邦題で翻訳されているこの小説の原題は *Great Expectations*（大きな期待＝莫大な遺産相続の見込み）である。「大きな期待」とは、言うまでもなくピップ自身の富と社会的上昇への欲望によるものであるが、それと同時に、むしろ、その陰に隠れたこの時代のさまざまな欲望を満たす対照としての子供への、何らかのかたちで子供を介して経済を考える社会の総体が抱いた欲望によるものであったとも言える。それは、産業革命期以降の慈善学校、日曜学校、基金立英語学校、古典語教育中心ではない文法学校、実学的なアカデミーの隆盛に見られる、社会的上昇をめざす労働者階級や新興中流階級の教育熱の高まりに象徴的に表れる。また、一九世紀半ばに頻発した両親による埋葬給付金を目的とする子殺しのような社会問題から、この時期の文学や美術に繰り返し登場する小児（女児）性愛などの主題にいたるさまざまな領域で認められるものであった。[19] そしてこうした欲望の正当性が保証されるために必要であったのが、'guilty'と'innocent'の法と宗教の二重の規範性に基づいて語られる子供の「無垢」と「堕落」、あるいは「罪深い社会」と「無垢な子供」との共犯関係の物語であった。ディケンズはその時代のそうした物語の文脈のなかに読者とともに自らを置きながら、しかもそうした物語と、それを作りだす社会を描いているのである。この小説はヒラードの言葉を借りれば、「ディケンズが「シンデレラ」の物語をひねり、ひっくり返し、グロテスクなパントマイムのドラァグ・ショーに鋳直したもの」なのである。[20]異性装の俳優たちが演じるドラァグ・ショーはパントマイムに付き物である。

流刑先のオーストラリア、ニューサウス・ウェイルズで成した財によってかつて墓場で恩義を受けたピップの匿名のパトロンとなる『大いなる遺産』のマグウッチは「自分は紳士をひとりつくっているんだぞと、人知れずこっそり考えると、それだけで、わしは報いられたんだよ。（中略）たとえわしが紳士でもなけりゃ、学問もないとしても、わしはそういうもんの持主だぞ」と言う。（図37）また「エステラは男性にたいするミス・ハヴィシャムの復讐の道具に使われている」。[21]複雑に入り組んだいくつもの大人と子供の共犯関係は、無垢な子供に対するこの時代の社会の大きな期待のもとに、欲望と悪徳に破壊された自らの過去を回復すべく仕組まれ、破綻する。そしてこの期待と、マグウィッチが、あるいはミス・ハヴィシャムが、そしてディケンズとその時代の読者たちが、これほどまでに子供と、子供の「無垢」と「罪深さ」に執着したこととはもちろん無関係ではない。

英米の近代における児童観の変遷を大人と子供の書いた日記など未刊行のものを含む多くの資料を

図37　『大いなる遺産』挿絵《階段で》

通してたどるリンダ・A・ポロックの『忘れられた子供たち』によれば、子供を一七世紀には堕落した（depraved）ものとして、一八世紀には無垢な、一九世紀には堕落しかつ無垢なものとしてみる傾向がまま認められるという。(22) ポロックの集める比較的教育程度の高い裕福な階層ではその対照がかならずしも明確ではない子供の「無垢」と「堕落」の神学が、大衆的なディケンズの小説のなかで描かれる、子供たちが悪しざまにその誕生をめぐって罵られる下層階級や、子供たちを巻き込んで欲望と悪徳に頽廃する下層中流階級の暮らしのなかには明確に現れていることも興味深い。

ディケンズの作品は、子供をめぐるそれ以前の宗教的な規範が、ヴィクトリア朝の現実のなかで変容し、むしろ富と貧困を動機づけ、功利的な児童観を正当化するものとして存続したことを示している。「罪深い社会」の議牲者である子供を主題とし、それを問題化することによって広範な読者を獲得するディケンズの作品自体のありかたが、その読者である大衆の嗜好と欲望に動機を与え、それを顕在化させたものであった。コヴニーは「ディケンズという人物がいなかったならば、ヴィクトリア朝の意識は異ったものになっていたに違いない。少くとも子供についての考え方は違ったものになっていたであろう[23]」と述べている。子供たちの「罪深さ」と「無垢」をめぐるディケンズとその時代の社会の欲望の物語を通して、ようやく、子供と、子供について語る文脈はその現代性を獲得したとも言えるのである。

注

（1） Molly Clark Hillard, Chapter 24, Charles Dickens and the “Dark Corners” of Children’s Literature’, in *The Oxford Handbook of Charles Dickens*, ed. by Robert L. Patten, John O. Jordan, and Catherine Waters (Oxford, 2018), pp. 337-53 (pp. 337-39) を参照。

（2） Gillian Avery, *Nineteenth Century Children: Heroes and Heroines in English Children's Stories 1780-1900* (London,1965), p. 81.

（3） Peter Coveney, *Poor Monkey: The Child in Literature* (London,1957), p. 8（ピーター・カヴニー『子どものイメージ――文学における「無垢」の変遷』江河徹監訳、紀伊國屋書店、一九七九、三八頁）を参照。同書は一九六七年に *The Image of Childhood* に改題された。

（4） Charles Dickens, *Great Expectations* (Oxford, 1953)（ディケンズ『大いなる遺産』上下、山西英一訳、新潮文庫、一九八九）。本章におけるディケンズの小説からの引証はいずれも The Oxford Illustrated Dickens (1948-58) 版による。

（5） James Janeway, *A Token for Children* (London, 1672; later edn, 1792), pp. iv, 27.

（６） Charles Dickens, *The Personal History of David Copperfield* (Oxford,1948), p. 55（ディケンズ『デイヴィッド・コパフィールド』全四冊、中野好夫訳、新潮文庫、一九八九、第一冊、一〇〇頁）。

（７） Dickens, *Little Dorrit* (Oxford,1953), p. 29（C・ディケンズ『リトル・ドリット』全四巻、小池滋訳、ちくま文庫、一九九一、第一巻、六三－六四頁）。

（８） Marianne Farningham, *A Working Woman's Life: An Autobiography* (London, 1907), pp. 28-29. *Destiny Obscure: Autobiographies of Childhood, Education and Family from the 1820s to the 1920s*, ed. by John Burnett (Harmondsworth,1984), p. 142も見よ。

（９） Dickens, *Bleak House* (Oxford,1948), pp. 15, 17-18（C・ディケンズ『荒涼館』全四巻、青木雄造、小池滋訳、ちくま文庫、一九八九、第一巻、三六、三九－四一頁）。

（10） Ivy Pinchbeck and Margaret Hewitt, *Children in English Society*, 2 vols (London,1969, 1973), II: *From the Eighteenth Century to the Children Act 1948* (1973), p. 368.

（11） Leonore Davidoff and Catherine Hall, *Family Fortunes: Men and Women of the English Middle Class, 1780-1850* (London,1987), p. 221を参照。

（12） *Great Expectations*, p. 101（邦訳、上、一七五－七六頁）。ディケンズの作品における孤児とその労働の主題については、Joey Kingsley, 'Bodily Filth and Disorientation: Navigating Orphan Transformations in the Works of Dr Thomas Barnardo and Charles Dickens', in *Rereading Orphanhood: Texts, Inheritance, Kin*, ed. by Diane Warren and Laura Peters (Edinburgh, 2022), pp. 121-41 (p. 126) を参照。

（13） トラクトに描かれる子供の罪の自覚についてはAvery, pp. 81-82を参照。

（14） *Great Expectations*, pp. 20, 24（邦訳、上、三八、四五－四六頁）。

（15） F. R. and Q. D. Leavis, *Dickens the Novelist* (Harmondsworth, 1972), pp. 397-400を参照。

（16） Dorothy Van Ghent, *The English Novel: Form and Function* (New York,1961), pp. 136, 128. Ghent の議

論に関連して Anny Sadrin, *Great Expectations* (London, 1988), pp. 251-52; Clare Wood, Chapter 31, 'Material Culture', in *The Oxford Handbook of Charles Dickens*, pp. 452-67 (p. 456) も見よ。

（17） Lionel Trilling, *The Liberal Imagination: Essays on Literature and Society* (London,1950; repr. New York, 2008), p. 211を参照。

（18） Coveney, p. 72（邦訳、一一一頁。ご高訳の「子ども」の表記は引用中では本文との統一のために「子供」に代えさせていただいた。）

（19） 子殺しと埋葬給付の関係などについては Josephine McDonagh, *Child Murder and British Culture 1720–1900* (Cambridge, 2003), chap 4を参照。角山榮、川北稔編『路地裏の大英帝国——イギリス都市生活史』（平凡社、一九八二）第五章も見よ。ディケンズを含むヴィクトリア朝文学における小児（女児）性愛の主題については Mark Spilka, 'On the Enrichment of Poor Monkeys by Myth and Dream; or, How Dickens Rousseauisticized and Pre-Freudianized Victorian Views of Childhood' in *Sexuality and Victorian Literature*, ed. by Don Richard Cox (Knoxville,1984), pp. 161-79 (pp. 168-69) を、また、子供のイメージにおける「純潔」と「エロティシズム」の共存については、James R. Kincaid, *Child-Loving: The Erotic Child and Victorian Culture* (New York, 1992) 第五章を参照。Spilka は、作家たちは「子供（時代）」への郷愁を通して、「自我」を再確認したと指摘している。

（20） Hillard, p. 352を参照。なお、ディケンズの小説における妖精物語の影響については、Hillard の同論の他、Michael C. Kotzin, *Dickens and the Fairy Tale* (Bowling Green, Ohio, 1972); Harry Stone, *Dickens and the Invisible World: Fairy Tales, Fantasy, and Novel-Making* (London, 1979) などの古典的研究を見よ。

（21） *Great Expectations*, pp. 306, 288（邦訳、下、一三〇、九八頁）。

（22） Linda A. Pollock, *Forgotten Children: Parent-Child Relations from 1500 to 1900* (Cambridge,1983), p. 140（L・A・ポロク『忘れられた子どもたち』中地克子訳、勁草書房、一九八八、一八七頁）を参照。

（23） Coveney, p. 78（邦訳、一一八頁）。

第八章　子供の現代生活の物語

――ロバート・バーンズ挿絵『ストーリー＝ランド』（一八八四）他

「絵も会話もないなんて」

姉の読む本をのぞき込んで、「絵も会話もないなんて」「そんな本のどこがいいのかしら？」と訝るアリス自身の本には、諷刺漫画雑誌『パンチ』で人気のジョン・テニエルの不滅の魅力にあふれた挿絵が付けられている。(1) 子供の本なので挿絵があって当然だと思うかもしれないが、ヴィクトリア朝時代のイギリスにおいては、挿絵が必須なのは子供の本に限らない。当時の小説と挿絵には、今日の文芸の世界からは類推することのできない特別なつながりがある。チャールズ・ディケンズの代表的な挿絵画家が、やはり諷刺画で知られたジョージ・クルックシャンクであるとするなら、トマス・ハーディーの筆頭の挿絵画家は、挿絵入り週刊新聞『ザ・グラフィック』の売れっ子ロバート・バーンズである。いずれについても、それぞれ作家と挿絵画家の関係を詳しく調査し考察した優れた研究があ

図38　シドニー・グレイ『ストーリー＝ランド』表紙

る。[2]

実は、第五、六章で見たように、クルックシャンクがグリム童話やペロー童話など子供にも馴染みのある物語の挿絵の仕事で知られたのと同様に、バーンズもアイザック・ウォッツ、アナ・リティーシャ・バーボールド、メアリー・ルイーザ・モルズワースなどの、おもに教訓的な内容の児童書の挿絵でヴィクトリア朝の子供たちに親しまれた。しかし、クルックシャンクの名は当代を代表する諷刺画家・挿絵画家として燦然と輝くが、ロバート・バーンズについては、ハーディーの『カスターブリッジの市長』[3]（一八八六）の挿絵画家として以外、今日ではほとんど知られることがない。バーンズが挿絵を付けた児童書の多くは、ジョージ・ラトリッジ・アンド・サンズ、WとR・チェンバーズ、ジョン・マレーのような有名な版元から出され人気を博したが、一方、宗教的トラクト協会（The Religious Tract Society. 以下ＲＴＳと略記）の出版によるものもあった。同協会は、一七九九年にトラクトの出版と頒布を目的に創設されて以来、数多くの廉価な本を出していた。

バーンズの仕事が、ヴィクトリア朝の児童書の挿絵芸術の一つの達成を示すものであることはあらためて認識されるべきである。同時に、バーンズが挿絵を付けた児童書のほとんどが、当時のおもに下層中流階級の家庭の生活感情や道徳を読者に伝えるものであったことも興味深い。また、田園風景のなかに愛らしい子供たちを描くバーンズの児童書の挿絵をイギリス美術史のなかに置いて見ると、それらが農村画（rustic genre）とファンシー・ピクチャーの流れを汲むものであることがわかる。

本章では、ＲＴＳ刊行の書の中では贅沢な体裁のシドニー・グレイ著の挿絵入り物語集『ストーリー＝ランド』（一八八四）[4]（図38）をおもに取りあげ、児童書の優れた挿絵画家でもあったバーンズをイギリス絵画史にも言及しつつ紹介し再評価する。それとともにＲＴＳの児童書出版についても論及したい。

挿絵画家ロバート・バーンズ

家族画家、肖像画家として、また新聞や雑誌の挿絵画家として活躍したロバート・バーンズについての情報は意外なほど乏しい。[5] ことにその出生や幼少年期について知られることはほとんどない。ロンドンのセント・マーティンズ・ル・グランドに、トマス・ハーディーと同じ一八四〇年に生まれた。パリのエコール・デ・ボ・ザールで、個人や家族の肖像画で知られるレオン・ボナの指導を受けた。六六年からはしばしば王立美術院に出展した。ロンドンの北、ハートフォードシャー、グレート・バーカムステッドで画家として立ち、八〇年頃にサリー州レッドヒル、エルムサイドへ移る。王立美術院に展示された《祖父の肖像》(一八八三)、《閣下》(八七)、《粉ひき場の娘》(八八)、《特別陪審》(九〇)、《陪審》(九〇)、《ホーキンズ判事陳述》(九一)などの肖像画はそこで制作された。八八年にはウィーンの国際展にも出品した。九三年からはブライトンのクリヴデン・プレイスに住み、そこで九五年に没した。(6)

『十九世紀挿絵画家・諷刺画家辞典』のサイモン・ハウフによれば、一八六〇年代の駆け出しの頃のバーンズは、「二流の挿絵画家の中では目立つ存在であった」が、得意とする田園の画題において競合する同時代のフレデリック・ウォーカーやジョージ・ジョン・ピンウェル等の独創性には及ばなかったとされる。仕事をした定期刊行物には『ザ・チャーチマンズ・ファミリー・マガジン』(一八六三)、『週一雑誌』(六四)、『ザ・コーンヒル・マガジン』(一八六四、一八六九－七〇、八四)『カッセルズ・マガジン』(一八七〇)、『イラストレイテッド・ロンドン・ニュース』紙(一八七二－七七)、そして『ザ・グラフィック』紙(一八八〇、一八八五－八九)(各年号は各紙誌へのバーンズの寄稿年)などがある。その間、一八七六年には王立水彩画家協会会友に選ばれるなど、徐々に実力が認められるようになった。(7)

文学作品への彼の挿絵の最高傑作として名高いのは『ザ・グラフィック』に一八八六年に連載が開始されたハーディーの『カスターブリッジの市長』へのものである。その挿絵を肖像画（portrait）、風俗画（genre painting）として見れば、バーンズがいかにイングランドの豊かな自作農の描写に長けた画家であったことがわかる。『一八六〇年代の挿絵画家たち』のフォレスト・リードによれば、バーンズの描く「いかにもイングランドの土壌から生まれた」登場人物は、みな「あたかも同じ一つの家族――健康で、頑丈で、何世代にもさかのぼる揺らぐことのない健全なヨーマンの血統を保つ裕福な農民階級の家族――のメンバーであるかのようである。[8]」一方、フィリップ・V・アリンガムは、『カスターブリッジの市長』において、ハーディーの描写以外にも各人の顔立ちや服装などに個性を与えることで「絵と物語の連続性」をもたらしていると言う。風俗画としても、各々の人物にその地域や時代あるいは立場にふさわしい服装や装身具が与えられている。それは主人公の移住労働者マイケル・ヘンチャードのコールテンの干し草束ねの服や、革新家ドナルド・ファーフレーの一八四〇年代初頭に流行した優雅な白のズボンのインセット・ストラップなどに見られる。[9]

『カスターブリッジの市長』の挿絵の風俗画としての人物描写や背景描写のリアリズムは、バーンズの児童書の挿絵においても生きている。シドニー・グレイの『ストーリー＝ランド』は健康な農夫や老人、質素な暮らしぶりの親と子供、裕福な家庭のゴージャスな姉妹など、おもに田園や漁村での子供とその家族の暮らしを描く。その挿絵は、物語に忠実に、さまざまな暮らし向きの健気な子供たちの暮らしをリアルに描く面を持つが、それとともに、ロンドン近郊などの中流階層のファッショナブルな子供たちとその風俗を描き込んだものとしても受け入れられた。

農村画とファンシー・ピクチャーの系統

この時代の挿絵を考えるうえで最も重要なことは、それらがアカデミックな水準にあったことである。この点についてはジョン・ハーヴィーが『ヴィクトアリア朝の小説家とその挿絵画家たち』でつとに指摘している。[10] ポール・ゴールドマンとサイモン・クックによれば、「クルックシャンクや（リチャード・）ドイルのような三〇年代の挿絵家たちは概して教育を受けていない。それに対し、六〇年代の画家たちは、修養を積んだれっきとした画家であり、その挿絵の特質は、美術作品の正式な表現言語によって制作されていることである。」古い世代の画家たちが非現実的なユーモアや滑稽なグロテスクさを求めたのに対し、新世代が求めたのは現実世界の観察に根差す深い感情表現のための「詩的な自然主義」であると言う。[11] アンソニー・トロロープの作品や『アラビアン・ナイトの物語』（一八六五）などへの多くの挿絵でも知られる大画家ジョン・エヴァレット・ミレイを筆頭に、先に言及したフレデリック・ウォーカーなどとともに、バーンズもほぼその世代の挿絵画家に属する。またこの時代の安価で柔軟な表現を可能にする小口木版技術の洗練によるグラフィックの量産複製技術が同時代の文化全体に与えた影響はきわめて大きい。[12]

美術教育がこれらの挿絵画家に与えたのは正規の絵画技法だけではない。画家たちはヴィクトリア朝絵画の発展における各ジャンルの様式についても学んでいる。たとえばバーンズが得意とする田園の日常生活を描く農村画は、風俗画の一分野としてイギリス派絵画を特徴づける十分認知されたジャンルであった。(13) また、一八世紀イギリス絵画の伝統を継承することを使命としていたミレイは、一八世紀後半に流行した、やはり風俗画の一ジャンルであるファンシー・ピクチャーの再興をも目指した。トマス・ゲインズバラやジョシュア・レノルズが田園風景などのなかに愛らしい子供や女性を空想的に情緒豊かに描いたジャンルである。農村画とファンシー・ピクチャーは密接に隣り合う、あるいはむしろ融合した関係にあった。(14)

ヴィクトリア朝におけるファンシー・ピクチャー再興の大きな契機となったのが、メイド風のモブキャップをかぶった愛らしい子供を描いたミレイの《チェリー・ライプ》（一八七九）という作品である。そのクロモリトグラフ（多色石版画）が『ザ・グラフィック』紙の一八八〇年クリスマス号の付録になり大いに人気を呼んだ。その亜流の画家が多く登場したことにより、ミレイはイギリス美術の「赤ちゃん病」の元凶とも言われたという。(15) モブキャップは一八世紀に流行した頭全体を覆うモスリンの婦人帽で、一九世紀末に懐古趣味から再流行し、ケイト・グリーナウェイが絵本『窓の下で』（一八七八）などで描きその流行に拍車をかけた。(16)

バーンズの児童書の挿絵は、その技法において、また様式において、当時の流行のファンシー・ピクチャーの系統のなかに置かれていたと言える。このことは、バーンズがただ一人そうした系統を意識していたということではない。ヴィクトリア朝の画家（挿絵画家）とその観衆（消費者）の理想の児童像を反映しつつ再生したファンシー・ピクチャーというジャンルと黄金期の児童書の挿絵との類縁性、親和性は、概してきわめて高かったのである。

シドニー・グレイ『ストーリー＝ランド』の物語と挿絵

『ストーリー＝ランド』に発行年は記されていない。ブリティッシュ・ライブラリーの書誌では一八八四年と推定されており、それは他の書誌情報からも妥当である。版元はすでに言及したＲＴＳである。ＲＴＳについては後の節で詳しく紹介する。硬表紙の立派な造本で、サイズはおよそ縦二五、横二〇センチメートルである。（図38）当時の童話集としては大型の部類に入る。ラトリッジ社のシックスペニー・トイ・ブック、シリング・トイ・ブックなどのウォルター・クレインやランドルフ・コールデコットのペーパーバックの絵本と同様のサイズである。全一一二ページである。値段は六シリングで、ページ数や体裁は異なるが、薄手で廉価のトイ・ブックと比較すると六倍から一二倍の額であり、かなり高価である。[17] 三二枚の小口木版の製版と印刷がエドモンド・エヴァンズによることもラトリッジのトイ・ブックと同じである。エヴァンズは、天才的な技量をもって彩色小口木版の革新を行ったこの時代を代表する製版師であり、印刷業者であった。[18]

著者シドニー・グレイについてはバーンズ以上にその情報は少ない。ブリティッシュ・ライブラリーには『ストーリー＝ランド』以外にＲＴＳ刊の三冊があるのみである。『逃亡者』（［一九一一］）は、孤児の姉弟が巡回サーカス団から逃亡する物語である。他の二冊は『黄金通り、あるいは漁師の孤児』（〔一八八六〕）、『ボブ・ウィンターの愚行』（〔一八九五〕）である。[19] いずれも不幸な境遇から信仰や善行によって幸せをつかむ子供たちや、その周囲の善意の人々を描く教訓的な物語である。『逃亡者』の扉の著者紹介には「『ストーリー＝ランド』等の著者」とある。『ストーリー＝ランド』の扉ページを見ると、挿絵画家バーンズの名が、著者名よりも大きな文字で記載されている。刊行当時、作者よりも画家バーンズの方が有名だったのである。バーンズにとって一八八〇年代は、王立美術院にその作品が展示され始めるなど、職歴の頂点に向かう最も充実した時期であった。刊行二年後の一八八六年からは『カスターブリッジの市長』の連載が始まる。『ストーリー＝ランド』はバーンズの最盛期の児童書である。

さて、『ストーリー＝ランド』は、地方の美しい村や町を舞台に、そこで暮らす幼い子供たちの日常の悲喜こもごもを、教訓的なプロットで語る七つの短編に、子供に小鳥の扱いを諭す詩一篇を加えたものである。詩には一枚、各物語にはそれぞれ数枚の挿絵がある。以下では、そのうち物語の展開、登場人物の造形、心理描写、そして主題などが明快で、それに伴いバーンズの挿絵も出色の出来栄えとなっている物語を四篇、すなわち「小さな芸術家」（'The Young Artist'）、「グーシーの贈り物」（'Goosey's Gift'）、「モードの謎」（'A Puzzle for Maud'）、「女王ブルーベル」（'Queen Bluebell'）を取りあげて考察する。その他のものはタイトルのみ示しておく。「はぐれ鶏」（'The Wayward Chicken'）、「えくぼのディック」（'Dimpledick'）、詩「赤ん坊とツグミ」（'Baby and the Blackbird'）、「最高の師」（'The

Best of Masters')である。

巻頭の「小さな芸術家」は、家主から住み慣れた家の立ち退きを迫られている一家に迷い込むようにやってきた色白の少年との思い出を姉妹の姉が語るものである。少年は炎天下をながく歩いたための暑気当たりで一家の前で卒倒する。話者の母親の介抱で正気を取り戻し、画家志望の少年は礼にと美しい庭や訪ねてきた家族に馴染みの行商の老夫の絵などを描く。少年は老夫の荷車に便乗し町へ帰ってゆく。翌日、その父親が少年とともに訪れ、前日の礼にと一家が立ち退かなくて済むほどの謝礼金を申し出るのである。少年はひと夏を姉妹と過ごすことになる。末尾で話者は、「誠実な友こそは世界で最も素敵なものの一つ」と述べ、幼い頃に日曜学校で習ったという詩が紹介される。「真の友」であるイエスを歌うジョン・ニュートンの有名な讃美歌である。

キリスト教精神に基づき、弱きもの、傷つく者に優しく親切にする美徳と、それに報いることの大切さを説く点に、著者や版元のいわば保守的な性格が認められる。しかし、ここにはむしろ産業化の進む都市と田園の環境の変化がもたらす諸矛盾が子供たちの生活に及ぼす影響をこそ認めるべきであろう。社会主義的な相互扶助の精神をも読み取ることができる。バーンズの挿絵に見る、流行のスーツ姿のいかにも都会育ちの繊細な少年と、丈夫そうなコールテンのフロック（frock. 農夫・職人などのゆったりした上っ張り、あるいは上下続きの室内用子供服）を着た、若いころの剛健さを忍ばせる老農夫との対比は『カスターブリッジの市長』の登場人物を描き分ける画家の造形力や筆致と共通である。そこには田舎と都会、世代の違い、そして背景となる時代の変化などが暗示されている。

「グーシーの贈り物」は、父思いの健気な四姉妹の子供らしい苦楽を描く物語である。四人は父の誕生日に贈り物をしようと町へ行き、食料雑貨店で下見をする。誕生日当日、父は娘たちに、「今日は町へは行かないように」と言い残して家を出た。（四〇頁）長女と次女は出かけるが、三女のグーシーは幼い妹とともに家に残る。実はその日、食料雑貨店の家族に熱病が出たとの噂があった。出先から戻った母からそのことを聞き、昼に出かけた子供たちは泣いて自分たちの行いを悔やむ。父はすぐに町へ向かい、店主が熱病ではなかったことを確認して戻る。グーシーは父に贈り物が買えなかったことを詫びるが、父は「お前は素直にお父さんの言いつけに従った。それこそお父さんやお母さんにとっての最高の贈り物だ」（四八頁）と言う。『ストーリー＝ランド』のなかでも、サスペンスもあり、展開や教訓のはっきりした傑作である。

物語の冒頭でグーシーが自分のランチをすべて物乞いの少年に与える逸話がある。学校帰りにそれを聞いた姉は、妹の優しさに感動し、抱き寄せる。バーンズは、その下校風景を、一部にわずかに午後の陽に映える雲が残るものの、灰色の重い雲が垂れ込める小川沿いの泥道を、降り出した雨に一つの傘に肩を寄せる姉妹の図として描いた。（図39）二人が渡ってきた橋の太い欄干が示すのは姉妹愛の安定である。この絵には、風光や植物の表現のなかに、バーンズの象徴的な写実性を伴う描写力が認められる。姉の持つ大きな傘の右下の線とグーシーの撓む背中の線との間に小さく垣間見える向こう岸の明るいデイジー（ヒナギク。無邪気、純粋の象徴）の花畑は、グーシーの慎ましい天使の片翼の下辺のように見える。フロックの青は聖母マリアの色である。「従順」の美徳を示すこの主人公は、貧

図39　『ストーリー＝ランド』《かわいいグース，なんていい子なの！》

図40　『ストーリー＝ランド』《困ったときの友》

者に対する自己犠牲による博愛的な行為によってもヴィクトリア朝の「女性の鑑」として描かれているのである。

「モードの謎」は、モードという少女が教会で聞いた説教のなかに出てきた「貧しいようで、多くの人を富ませ」という聖書の一節を不思議に思い、謎とも言うべきその言葉の解釈について祖母と考える物語である。モードは貧しい人が他人を富ませることなどできるはずがないと言う。町へ出かけた二人が出会うのは、ブーツの紐の切れた女の子の足元にかがみこんで結び直してやる親切な男の子である。挿絵では、女の子の足下に蹲(うずくま)る少年の小さく丸まった体躯によって、その健気さが一層強調されている。(図40) 困って泣いていた子は笑みを取り戻し、少年の首に手を置き、やや弓なりに少年の方に体を傾けて、すっかり頼り切った表情である。少年は少女の重しでもあり、背景の野道の不安定さにバランスを与えている。少年のブルーの上着と対となっている少女のブルーのリボンで飾った麦藁帽子は、きれい好きでおしゃれな女の子の困惑と安堵に光を当てて巧みである。これらの造形の工夫のそれぞれが、登場人物の心理や精神の状態を表すとともに、主題である「献身」をも象徴的に描き出している。最後に遭遇するのが、病気の弟の面倒を根気よく見ている女の子である。子供たちの母親はモードの祖母に、「私どものような、他に人に分ける物とてない貧しい者には、人を勇気づける言葉や手助けをすることがとても値打ちなのです」と告げる。それをそばで聞いていたモードは、祖母に興奮して言う。「謎は解けた。（中略）お金以外にほかの人を豊かにできるものがあるということなのね？」祖母は頷き、聖書の箴言の一節、「気前のよい人は自分も太り／他を潤す人は自分も潤う」[20]を引く。（六九頁）

最後に収められた「女王ブルーベル」は話も挿絵もこの物語集のなかで最も魅力的である。制作者もそれを認識して、表紙画、口絵はいずれもこの物語からのものである。二二ページと最も長く、同書の中で唯一章が三つに分けられている。やや詳しく紹介する。

第一章。病み上がりのヴァイオレットは、まだ赤ん坊の妹と乳母とともに留守番をしていた。家族はみな田舎に出かけているのである。退屈していると隣家のホーン夫人が訪ねてきて屋敷に誘ってくれる。「あなたの妖精になってあげる」という夫人がヴァイオレットに差し出したのは、彼女がずっと欲しくてたまらなかった大人っぽい姿の人形であった。「レースのフリルの付いたブルーのヴェルヴェットのガウンを素敵にまとい、首には鎖のネックレス、蝋細工のふっくらした腕にはブレスレット、耳には輝く宝石のイヤリングを付け、豊かな髪は何本かの厚みのある編み紐で括られ、その一つは頭につけた王冠のようでした。」(九二頁)夫人からの贈り物に、二人で相談をして、服と目の色から「女王ブルーベル」と名付けた。

第二章。年長の従姉メイと子供たちみなでロンドン塔の見学をして帰ると、兄ジャックはブルーベルを使ってレディー・ジェーン・グレイの斬首ごっこをしようと言いだす。ヴァイオレットは断り、人形を引き出しにしまう。ヴァイオレットが部屋を出たすきに、ジャックは人形を持ち出し、気乗りのしないルーシーを引き込んでくだんの遊びを始める。戻ったヴァイオレットはおりしもジャックがおもちゃの剣でブルーベルの首を落とすのを見て激高し、兄を突き飛ばす。彼は暖炉の角に頭から突っ込み卒倒する。「ジャックが死んでしまう!」(一〇二頁)ひどく後悔しながら暗闇のなかに彼女は昏倒する。しばらくして乳母に起こされ気づくと、兄が頭を打って倒れたのは夢のなかのことであった。ヴァイオレットは「ジャックはブルーベルの百倍も大事」(一〇五頁)であることに気づく。

第三章。ジャックが模型のボートを買うためにしてきた貯金で、ヴァイオレットに償う話である。貯金の額で頭の部分だけなら買えると知り、ジャックはボートを諦める。朝目覚めたヴァイオレットは、そこに元通りの首のブルーベルを見つける。メイから、ジャックと二人で「ブルーベルを最高のお医者様のところに連れてゆき」、「治療費をジャックが払った」と聞かされる。ヴァイオレットは、ブルーベルをもらった日に、ホーン夫人が、自己犠牲や愛こそが「妖精」なのだと言っていたのを思い出していた。「このお人形のおかげで私はジャックをもっと好きになった。ボートを諦めたのはジャックの自己犠牲だったのね。」(一一一頁)

この物語に添えられた絵は五枚である。その内の一枚は口絵として掲げられている。主人公ヴァイオレットは、表紙（図38）と裏表紙にも流用されているものに姿を現すきりである。ブルーのフロックの上にピナフォー（pinafore. 子供用エプロン）を付けている。ゆるく流れる長い髪をフロックと同色のリボンでまとめている。ピナフォーは幅広い階層の子供が身に付けた。[21]小さな子供には高い位置の窓辺の造り付けのベンチに横座りするヴァイオレットが見つめるのは、天気雨に濡れる窓外の庭である。ベンチには陽が映えている。テキストでは雨は降っていない。突然の驟雨が音を立てて当たる窓の内と外は静と動の対比のドラマを生み、取り残された彼女の寂しさや諦念がしみじみと表される。宙に下ろされた片脚は、飛び降りて画面の左方向に踏み出す準備をも思わせ、物語の展開を暗示している。表紙を飾るにふさわしい、物語性に加え、自然描写と心理描写の象徴性を含んだ秀逸な挿絵である。

もう一枚の秀作はメイが腿にフレディを乗せて遊ばせている絵である。（図41）画面のほぼ中央で女性の右腕と子供の左腕が作る四角形のなかにのぞくメイの明るい笑顔が印象的である。この絵の興味は、彼女と後姿でかろうじて横顔ののぞくフレディの眼差しの交差のドラマにあると言えよう。二人の笑い声も聞こえてくる。椅子の背に寄りかかった女性が腿に子供を乗せて遊ばせる構図はミレイの《ジェイムズ・ワイアット・ジュニア夫人と娘セアラ》（一八五〇）[22]（図42）にもあり、興味深い。ミレイのソファの深緑はバーンズのメイの服の色と呼応し、二人の子供の服の色は白とローズでほぼ同じである。ミレイの引き出し付きの桜材のテーブルの赤と、バーンズのメイの腰のクッションの柄の赤

図42　ジョン・エヴァレット・ミレイ《ジェイムズ・ワイアット・ジュニア夫人と娘のセアラ》(1850)

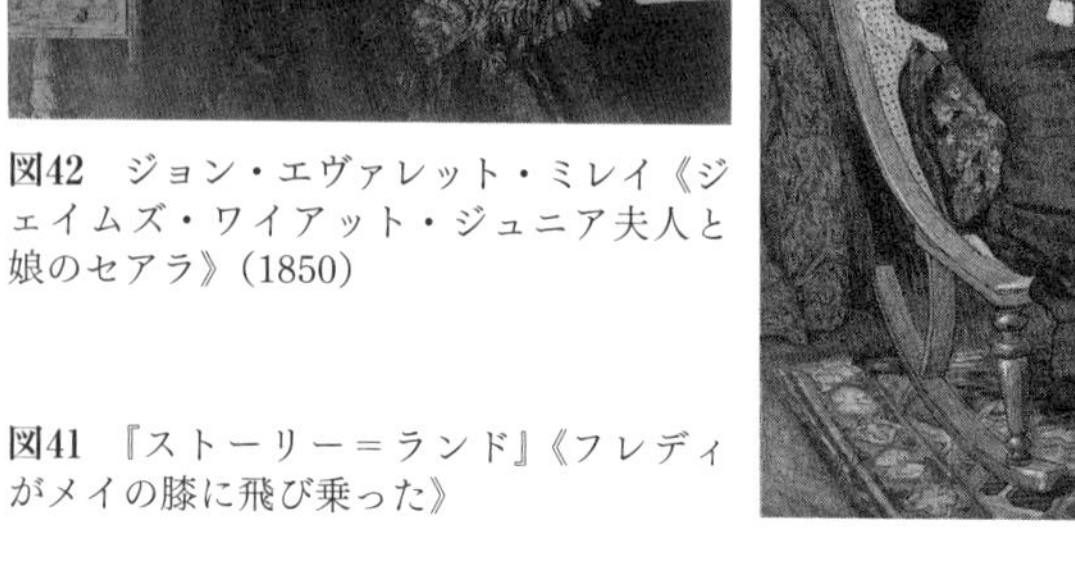

図41　『ストーリー＝ランド』《フレディがメイの膝に飛び乗った》

が、位置的にも呼応する。実在の夫人と物語の娘の家庭の階級差は、背部の高いヴェルヴェットのソファと、ヴィクトリア朝モダン様式のロッキング・チェアとの違いから明らかである。脚に轆轤（ろくろ）加工の柱とアーチ形に製材した部材とを併用したバーンズの椅子は凡庸な中流趣味である。

一方、口絵（図43）に見られるルーシーの座る低い椅子は簡素でモダンである。キルトの花柄のファブリックはウィリアム・モリスの《果物あるいはザクロ》や《スウィート・ブライア》から着想したものであろう。もちろん印象をとらえて簡略化した図柄となっている。ピナフォーの下に着ているブルーのフロックの裾にはギャザーを寄せた二段の縁飾りが施されている。[23] 夢見心地の少女が手にしているのはアンデルセン童話集である。「醜いアヒルの子」を読んでいるのである。[24] テキストには「ルーシーは、本を手に、低い椅子に丸

図44　ジョシュア・レノルズの原画による版画《読書する少女》（1775）

図43　『ストーリー＝ランド』《ルーシー》

まっていました」（九八頁）とある。右手は本を持っている。左手を耳の前あたりに宛がい、椅子の反り返った背からやや離れた頭を支えている。下半身を弛緩させた状態で、右脚をたたんで座面のへりに乗せ、左脚を床に届かせている。椅子に掛け、右手で本を持ち、もの思わし気に左手を頭部に宛がう姿態は、レノルズが姪を描いた肖像画《読書する少女（サミュエル・リチャードソンの『クラリッサ・ハーロウ』[25]を読んでいる）》（一七七二）の版画版（ファンシー・プリント）（一七七五）と対比できる。[26]（図44）このルーシーの絵に限らず、これまでに見てきた挿絵すべてに言えるが、バーンズの子供の体の線の柔軟さの表現には目を見張る。そのリアリズムは画家の観察力とデッサン力からくるものであるが、一方でその視線はヴィクトリア朝後期の時代精神とも言える子供の身体や精神への過剰な関心や執着をも反映している。

フォレスト・リードが書くように、バーンズは少年少女を描くことを好み、実際に子供の絵が多いのも事実である。しかし、その子供たちは「みなどう見ても紛れもなく小さな動物たちであり、人生のなかで一日たりとも思ったことがなく、何か精神的あるいは知的な熱情に突き動かされることもなかろう」[27]とするリードの指摘は誤りである。バーンズの描く子供たちの社会的ないしは精神的な実体は同書に限っても歴然としている。主として中流以下の階層の家庭の情景とそこでの子供たちの暮らしや心情を描くこれらの物語には、ヴィクトリア時代後期の風俗、児童観、道徳観、社会意識、あるいは時代精神などが児童文学として十分に写実的に表されているが、その写実性は、それに対応する挿絵によって担保される類のものである。たとえば、「小さな芸術家」が描き出す、姉妹の家族と行商の農夫の階級差や世代差が形作る社会関係は、闖入してくる町の少年の家庭の社会階層の表象によって、より鮮明に相対化され歴史化される。それを明示的に可能にするのは、象徴的な写実性を伴うバーンズの挿絵であることは、すでに先の分析で示した。時代の社会状況や、経済事情、また上層階級の美意識などをテキスト以上に、あるいはテキストに対して過剰に描き込む面が認められることも、バーンズの挿絵画家としてのテキストの読みの深さ、認識力の高さを示すものである。[28]それは、「女王ブルーベル」の家具や調度品、子供たちの衣服などの細部が表す中流階級の趣味、美意識、生活感などにも反映している。また、ゴージャスな子供たちの服装や持ち物の細部の描写のみならず、その身体描写に見られる子供のイメージへの執着は、画家の意識や趣味を超えたものとして、この時代のある種の精神や価値観を示していると言える。それぞれの物語のキリスト教に基づく伝統的な教訓性は、実はそうした時代精神を経由して、子供の読者に自分たちに期待される価値を自覚させるものなのである。

宗教的トラクト協会の児童書

おもに中流階級の子供を読者対象として出版された『ストーリー＝ランド』の版元である宗教的トラクト協会（ＲＴＳ）という、今日ではほとんど聞かれない名の組織は、いったいどのようなものなのだろう。

「トラクト」は、アイザック・ウォッツの『聖なる歌』を論じた第二章でも紹介したように、すでに一六世紀の宗教改革期以降数多く出版されるようになっていた民衆のための安価な布教用の冊子である。その後、イギリス革命の動乱期を経て、産業革命期のさまざまな社会改革のなかで、あらためて民衆とその子供に対する宗教的、政治的理念の伝達媒体として注目されるようになる。ＲＴＳは、そうした認識のもとに、一七九九年に設立された。

慈善学校や日曜学校などの民衆教育の進展や、子供という読者層の形成に伴って、ＲＴＳは、トラクトの出版に当たって、当初から子供への宗教教育の重要性を重視していた。この点についても先の章ですでに論及した。創設メンバーの一人である会衆派牧師のジョージ・バーダー自身の『幼い信仰』（［一七七六］[29]）のＲＴＳ版は一八〇八年には出ている。ＲＴＳが次々に出す信仰に篤い子供の幸福な死を描く物語の雛型となる作品であった。一八一二年頃からは日曜学校向けの書の市場拡大を目指し、RTSは児童書の出版活動に力を入れた。なかでもウォッツの『聖なる歌』は長い間その出版目録に欠かせないものとなった。RTSのトラクトに最初に加えられたのは、一八一六年である。[30] バーンズの挿絵入りのRTS版については後で論じる。

一八二〇年代には、宗教的なメッセージを含みつつも、より世俗的な話題を盛り込んだものを多く出すようになる。二四年に創刊された『チャイルズ・コンパニオン、あるいは日曜学校のご褒美』はイギリスで最初の児童雑誌であった。タイトルが示す通り、日曜学校の生徒を対象とした宗教や信仰が話題の詩、物語、記事から成る。世紀半ばまでは、宗教的な話題以外には、世界地理、聖職者の伝記、博物誌、あるいは労働者階級の生活など、同時代の社会を扱うものの出版が中心であった。児童教育法が施行された一八七〇年以降は、幅広い階層のより多くの子供たちの情操を育み社会への順応を促す類の、真面目で道徳的な物語が多くなる。一八七九年には、教育的な記事や学校物語などのほか、イギリス帝国とその辺境の話題などでも人気を博した『ボーイズ・オウン・ペーパー』誌が、翌八〇年には連載恋愛小説や王室に関する記事、将来の主婦のための家庭生活の話題などを盛り込んだ『ガールズ・オウン・ペーパー』誌が創刊された。男子版よりやや購読者の年齢層の高い同誌はケイト・グリーナウェイ、ウォルター・クレインの挿絵でも知られる。[31]

『ストーリー＝ランド』はまさしくそうしたRTSの新たな本格的児童書出版の方向を象徴するものであった。世俗的な主題を扱いつつ、キリスト教精神を基本とする、従順、穏健、友情、献身、自己犠牲など、子供たちに求められる市民道徳が説かれる。しかもその体裁は、すでに紹介したように、大判の立派なものである。同書には、『聖なる歌』に代表されるピューリタン的な要素を含む教訓主義が、ヴィクトリア朝中流階級の特に女の子のための道徳観に馴染み込んでゆく様を認めることができる。

バーンズ挿絵版のウォッツ『聖なる歌』（［一八八五］）とバーボールド夫人『子供の散文の讃美歌』（一八六五）

バーンズの児童書への挿絵の仕事は大きく分けて二種類である。すなわち、刊行後すでに年月を経た古典的な作品へのものと、『ストーリー＝ランド』のような、同時代の新作へのそれである。ただし興味深いのは、いずれの場合も、教訓的な内容のものが選ばれていることである。読者の求める穏健な市民道徳と、バーンズが得意として描く中流階級の生活や保守的な農村地域の風俗とはよく調和した。

まず、RTSにおける古典的名作への挿絵の仕事として、ウォッツの『聖なる歌』を見ておこう。RTSが一八一六年以降出してきた多くの『聖なる歌』のトラクト版とは異なり、一八八五年頃刊の版[32]は大きめの判（縦一九、横一四センチメートル）で色刷り挿絵入りの現代的な児童書である。挿絵画家はバーンズを筆頭に、多くの児童書の挿絵でも知られたアカデミーの画家ゴードン・ブラウン、肖

図45　アイザック・ウォッツ『聖なる歌』54頁

像画家ジェイムズ・N・リー、ややラフで自由な線が魅力のR・W・マドックスである。他の三人がそれぞれに個性的な新しい様式を示すなか、先輩格のバーンズは、相変わらず独自の主題設定で、児童文学の古典中の古典の世界をヴィクトリア時代に置きなおして描いている。よく知られる蜂の勤勉さを称える「怠けてわるさをせぬように」の絵（図45）でも、農村と町、下層民と中流家族、新旧世代を対比させている。ここでは「勤勉」を象徴する老農婦に対し、流行の服を着た裕福な身なりの家族がそれを見習うべき者たちである。子供たちは放っておけば「わるさ」をしかねないひねた表情しているようにも見える。この本の読者は中流家族の方に感情移入して見る。

同じく古典作品を扱ったバーンズの仕事に、ジョン・マリ社から出されたバーボールド夫人の『子供の散文の讃美歌』（一八六五）がある。オリジナルは一七八一年に出て以来、一九世紀を通して、ロングマン、ボールドウィン・アンド・クラドックをはじめ多くの版元から縦一四、横九センチメートルなどの小型本として出され広く読まれた。一方、バーンズの挿絵版は縦二〇、横一五センチメートルと大きく、深緑のクロスの表紙には金の箔押しが施され、バーンズを入れて四人の画家による一〇九枚の挿絵が付された贅沢なものである。パーンズは口絵をはじめ、およそ半数の五二枚を描いている。たとえば風景や動植物の細密画を得意とするセオドーシャ・ケネディに対し、バーンズは同時代の風俗をも描き込んだ動きのある人物の描写で本領を発揮している。それは、グリーナウェイ、ケイト・クローフォード等とともに画稿を寄せた『挿絵入り子供の誕生日記録帳』（一八八二）の仕事でも同様である。[33]

メアリー・ルイーザ・モルズワース『ロビン・レッドブレスト——女の子のための物語』（一八九二）他

バーンズの同時代作品への挿絵の仕事にはメアリー・ルイーザ・モルズワース『ロビン・レッドブレスト——女の子のための物語』（一八九二）、『ブランチ——女の子のための物語』（一八九四）エイミー・ウォルトン『アザミとバラ——女の子のための物語』（一八九五）などがある。[34] いずれも、同じ「女の子のための物語」という副題の長編の少女小説のシリーズとして出されている。版元はエジンバラのW＆R・チェンバーズである。百科事典や辞書なども刊行する一九世紀イギリスを代表する出版社の一つである。モルズワースはさまざまな理由で親元を離れて暮らす子供やその兄弟姉妹の物語で知られる。福音主義作家であるウォルトンの作品は多くがRTSの刊行である。バーンズの児童書の仕事の多くは女の子向けであったが、このシリーズはそれを代表するものである。

『ロビン・レッドブレスト』は、大佐である父の赴任地インドに両親が駐在中の姉妹とその弟が、親戚のもとを巡った挙句に、偶然からある孤独な老婦人レディー・マートルの住む館「ロビン・レッドブレスト」に住むことになる。子供たちは新たな「家」を、子供のいない夫人は「家族」を得るのである。

バーンズの挿絵は口絵を入れて白黒の六枚である。一枚目（図46）は体育の休憩時間に、フランシス（左）が、前日初めて入った件（くだん）の謎の館のなかの様子を友人マーガレットに聞かれ、周囲に聞いている者がいないかを気にしながら話すところである。フランシスの不安そうに組まれた手に対し、友の腕にしっかり手をまわすマーガレットの仕草の無邪気さの表現は、その対比において優れている。

「マーガレット、私のグレーのフロックはどう？　こういう時に黒以外を着たのは初めてなの。変じゃないい。」

「とても素敵よ、サッシュもすごくきれい。」うっとりしてマーガレットは答えた。

「いつもあなたとジャシンスはきれいに着こなしているなって思ってる。黒ばかりでも。ベッシーと私はすごく平凡なフロックしか持っていないもの。お母さん、買えないんだ。家は全然お金持ちじゃないから。」

「家だってそんなじゃないわよ。お金持ちだったらパパがインドなんかに行かないもの。」

（七一―七二頁）

And then Frances related the whole, Margaret listening intently till almost the end.

図46　モルズワース夫人『ロビン・レッドブレスト』75頁

フランシスのドレスの上袖は一八九〇年代に流行した肩に膨らみのある形である。襟と袖はヴェルヴェットの共布であろう。ギャザーのある胸元にはヨーク（切り替え）があしらわれている。このヨーク付きのスタイルは一八八〇、九〇年代のむしろ女児の服によく見られた。一方、マーガレットの方はいかにも通学服らしい簡素な暗色のフロックである。ゆったりしたシルエットが少女の華奢さを強調する。縁に変わり編みの装飾を施したハットと長い髪、ゆったり締められた太いサッシュが一連の流れを作って、髪の明るい色を引き立てている。スカートは年齢とともに徐々に長くなり、一二、一三歳からは踝の上ほどの丈になる。フランシスの方が長い。ブーツは二人とも流行のボタン止めである。[35] テキストに対応して、挿絵でも当時の子供服のファッションが十分に意識されて描かれている。テキストに見られる二人の個性や家庭事情が、さらには帝国の経営事情さえ、服や小物の細部のさりげない描写で表現されている。バーンズの挿絵は社会風俗の表現であるとともに、読者にとっては流行の服のデザインや着こなしの手本としての役割をも果たしている。

モルズワースの『ブランチ』(一八九四)は四半世紀前に療養のためにフランスに渡った女性が夫を亡くし、二人の娘とともにイングランドに戻り、新たな社会生活を始める物語である。ウォルトンの『アザミとバラ』は、身寄りを失い、叔母と田舎で暮らすこととなった一四歳の少女が、そこで祖父の過去に触れてゆく物語である。いずれも誠実さや悔恨などについての健全な教訓性を含んだ少女小説であり、恋愛や家族の過去などを主題として、大人の世界とそこへの入り口を描いたものである。『ブランチ』には白黒八枚、『アザミとバラ』には白黒四枚の挿絵が付されている。それらは物語の内容から、思春期から青春期にかけての娘たち、大人たちが会話を交わす場面が中心で、物語の場面を巧みにとらえてはいても、動きに乏しく精彩に欠ける。しかしそれはバーンズの力不足によるものではない。挿絵画家の力量はそれぞれの作品と媒体の制約のなかで発揮される。多くの流行の少女小説においては登場人物の姿を紹介するのがおもな目的の、そのようないわば「凡庸な」挿絵が求められたのであろう。

大衆文化における子供の現代生活の画家

バーンズの仕事には『ストーリー＝ランド』やこれらの少女小説の場合のように、単独で挿絵を付ける場合と、ウォッツやバーボールドの書におけるように、他の複数の画家と分担して仕事をする場合とがある。共作では人気、実力ともに高いバーンズの名がほぼ必ず筆頭に記載される。どのような画題も達者にこなす一方、バーンズが共作で担当し、その卓越した力を発揮するのは、田園、農村を舞台とした、時代や世代あるいは社会階層の対比を象徴的に含む人物描写とその劇行為の繊細な描出においてである。それはもちろん単独で行う仕事でも同様である。その対比においてハイライトが当てられるのは中流階級の裕福な生活様式や服飾、調度などである。バーンズの挿絵の特質として、消えゆく旧時代の田園風景への郷愁と新興支配階級のブルジョワ趣味を合わせ持つことがあげられる。それは農村画やファンシー・ピクチャーなどイギリス派絵画の系統を示すものでもあった。バーンズをはじめ風俗画を得意とする多くの優秀な挿絵画家たちは、それを絵画ではなく、複製技術時代を目前に、新聞、雑誌、流行小説、児童書などの大衆的な出版メディアを横断して、挿絵の形でわかりやすく写実的に表現した。そこに彼らの現代生活の画家としての価値を見ることができる。

一九世紀後半の挿絵芸術は、アカデミックな修養を積んだ画家の感性や技量と、興隆する大衆文化とのいわば幸福な出会いによって、特異な発展を遂げた。いわゆる「子供の本の黄金時代」は、アリスが求める挿絵入りのファンタジーや少女小説、そして三大挿絵画家と称されるコールデコット、クレイン、グリーナウェイらの華麗な絵本の形で訪れた。ロバート・バーンズは、これらの同時代の挿絵画家と比べれば、今日ではほとんど無名に近い。しかし、アカデミックな技量や様式とともに、扱うモチーフの象徴性や人物描写の心理的な奥行きの表現において卓越した才能を示して人気を得た。流行の服飾についての知識の深さも新興中流階級の読者には魅力であった。指摘される独創性の欠如は、実はその優れた特質である一見実直な写実主義と同義である。

なかでも一八八四年頃刊行の『ストーリー＝ランド』は、バーンズの最盛期に制作された最高傑作である。そこに描かれる健気な子供たちの世界には、ＲＴＳの児童書にふさわしい伝統的で穏健なキリスト教道徳が反映されるとともに、帝国主義政策を進める「大不況期」のイギリス社会・経済の諸矛盾や、それに抗するキリスト教社会主義の精神をも認めることができる。『ストーリー＝ランド』でバーンズが描くおもに中下層中流階級の子供たちの姿態には、近代社会の発展のなかで変容する「子供」への関心や執着、あるいはさまざまな期待などが具体的な姿をとって表されている。無名の著者の物語の世界に忠実な、あるいはそれを超える描き込みから成るバーンズの仕事は、この時代の児童書における挿絵芸術の様式と思想の精華を示すものと言える。

注

（1） Lewis Carroll, *Alice's Adventures in Wonderland* (London, 1865), pp. 1-2（ルイス・キャロル『不思議の国のアリス』脇明子訳、岩波少年文庫、二〇〇〇、一三、一四頁）。

（2） ディケンズとクルックシャンクの関係についての研究として Frederic G. Kitton, *Dickens and his Illustrators* (London, 1889); Jane R. Cohen, *Charles Dickens and his Original Illustrators* (Columbus, 1980); ハーディーとバーンズの関係については Arlene M. Jackson, *Illustration and the Novels of Thomas Hardy* (London, 1981); Philip V. Allingham, 'Robert Barnes' Illustrations for Thomas Hardy's *The Mayor of Casterbridge* as Serialised in *The Graphic*', *Victorian Periodicals Review*, 28-1 (1995), 27-39などがある。

（3） Thomas Hardy, *The Mayor of Casterbridge: The Life and Death of a Man of Character*, 2 vols (London, 1886).

（4） Sydney Grey, *Story-Land* (London, [1884]).

（5） Simon Houfe の大冊の挿絵画家・風刺画家辞典 *The Dictionary of 19th Century British Book Illustrators and Caricaturists* (Woodbridge, 1996) のバーンズの項も本文は八行のみである。Eric Quayle, *The Collector's Book of Children's Books* (London, 1971), p. 118では月刊誌 *The Children's Friend*, 186 (1876) の挿絵画家としてのみ同号の表紙とともに紹介されている。

（6） Allingham, pp. 27-28; Houfe, p. 54; Rodney K. Engen, *Dictionary of Victorian Wood Engravers* (Cambridge, 1985), p. 13を参照。

（7） Houfe, p. 54を参照。

（8） Forrest Reid, *Illustrators of the Eighteen Sixties: An Illustrated Survey of the Work of 58 British Artists* (New York, 1975), pp. 256.

（9） Allingham, pp. 29-30を参照。人物の身振りの表現に風俗画の影響が認められることについては

Jackson, p. 96に指摘がある。

（10） J[ohn] R. Harvey, *Victorian Novelists and their Illustrators* (London, 1970), pp. 160-66を参照。

（11） Introduction to *Reading Victorian Illustration, 1855-1875: Spoils of the Lumber Room*, ed. by Paul Goldman and Simon Cooke (London, 2017), pp. 1-2を参照。

（12） ヴィクトリア朝における小口木版技術の進歩についてはVictor Watson, *The Cambridge Guide to Children's Books in English* (Cambridge, 2001) のwood engravingの項を参照。

（13） Nottingham/Penzance, 1998/1999, Exhibition catalogue, Christiana Payne, *Rustic Simplicity: Scenes of Cottage Life in Nineteenth-Century British Art*, Djanogly Art Gallery, University of Nottingham Art Centre/Penlee House Gallery and Museum, Penzance (Nottingham, 1998), p. 5を参照。

（14） ファンシー・ピクチャーとその子供のイメージについては、Nottingham/London, 1998, Exhibition catalogue, Martin Postle, *Angels & Urchins: The Fancy Picture in the 18th-Century British Art*, Djanogly Art Gallery, University of Nottingham/Kenwood House, London (Nottingham, 1998) を参照。なお、佐藤直樹氏の「ファンシー・ピクチャー研究——英国における「かわいい」美術の系譜」が二〇二一年度博士（文学）学位請求論文として成城大学に提出され、小論の筆者が副査を務めた。この論題の日本で最初の本格的な研究である。論文の提出が本章の脱稿後であったため、その内容を反映させることはできなかった。同論文は二〇二二年に『ファンシー・ピクチャーのゆくえ——英国における「かわいい」美術の誕生と展開』のタイトルで中央公論美術出版より刊行された。

（15） ミレイとファンシー・ピクチャーの関係については、長嶺倫子「ヴィクトリア朝の仮装の少女像——ジョン・エヴァレット・ミレイ《チェリー・ライプ》（１８７９）、その複製と模倣」（お茶の水女子大学大学院人間文化研究科『人間文化論叢』五巻、二〇〇二年三月、三七九－三八七頁）、北九州／東京、二〇〇八、展覧会図録『ジョン・エヴァレット・ミレイ展』北九州市立美術館（二〇〇八年六－八月）／Bunkamura

ザ・ミュージアム（八－一〇月）、一二〇－一二一頁を参照。Leslie Williams は 'The Look of Little Girls: John Everett Millais and the Victorian Art Market', in *The Girl's Own: Cultural Histories of the Anglo-American Girl, 1830–1915*, ed. by Claudia Nelson and Lynne Vallone (Athens, Georgia: 1994), pp. 124–55 (pp. 149–50) で、また長嶺は上掲論文三八二頁で、ミレイの《チェリー・ライプ》の需要の高さに「男性鑑賞者の小児性愛的傾向」（長嶺）を見る論考 Pamela Tamarkin Reis, 'Victorian Centerfold: Another Look at Millais's *Cherry Ripe*', *Victorian Studies*, 35 (1992), 200–05を紹介している。

（16）Kate Greenaway, *Under the Window* (London, 1878). モブキャップを含む「ケイト・グリーナウェイ・スタイル」の子供服の流行については、F. Gordon Roe, *The Victorian Child* (London, 1959), pp. 85–86; Wendy Forrester, *Great-Grandmama's Weekly: A Celebration of the Girl's Own Paper 1880–1901* (London, 1980), p. 98; 坂井妙子「ケイト・グリーナウェイ・スタイル――1880年代イギリスの子供服」（『国際服飾学会誌』二三号、二〇〇三年五月、八四－一〇二頁）、坂井『アリスの服が着たい――ヴィクトリア朝児童文学と子供服の誕生』（勁草書房、二〇〇七）第二章を参照。

（17）*The Religious Tract Society Catalogue 1889* (London, [1889]), p. 16を参照。

（18）エヴァンズについては、Humphrey Carpenter and Mari Prichard, *The Oxford Companion to Children's Literature* (Oxford, 1984) の Evans の項を参照。

（19）Sydney Grey, *The Golden Street; or, The Fisherman's Orphans* (London, [1886]); Grey, *Bob Wynter's Folly* (London, [1895]); Grey, *The Runaways* (London, [1911]).

（20）Proverbs, 11: 25. 「箴言」11: 25。聖書の日本語訳は『聖書――新共同訳・引照つき』（日本聖書協会、二〇一一）を用いた。ルビは省略した。

（21）ピナフォーについては Phillis Cunnington and Anne Buck, *Children's Costume in England: From the Fourteenth to the End of the Nineteenth Century* (London, 1965), pp. 166–68; Anne Buck, *Clothes and the*

Child: A Handbook of Children's Dress in England 1500-1900 (New York, 1996), pp. 71-73を参照。

（22） *Mrs James Wyatt Jr and her Daughter Sarah* (1850).『ジョン・エヴァレット・ミレイ展』、カタログ番号10。

（23） このような裾のデザインはドレスにも見られた。Clare Rose, *Children's Clothes since 1750* (London, 1989), pp. 79-81を参照。

（24） アンデルセン童話集の最初の英訳版はH. C. Andersen, *Wonderful Stories for Children: Translated from the Danish by Mary Howitt* (London, 1846) である。

（25） Samuel Richardson, *Clarissa; or The History of a Young Lady*, 2 vols (London, 1748).

（26） Nottingham / London, 1998, Exhibition catalogue, Plate 34. レノルズの原画とGarril Scorodumovによる反転図像の版画については同書、pp. 13-14, 40, 76を参照。

（27） Reid, p. 257.

（28） バーンズの挿絵が登場人物の印象ひいては造形に影響を与えることはすでにPamela Dalzielによって指摘されている。『カスターブリッジの市長』のElizabeth-Janeの「プロト＝フェミニスト・ヒロイン」(proto-feminist heroine) としての造形が『ザ・グラフィック』紙掲載時に付けられたバーンズの挿絵の影響を受け、後の版では読者の好みも反映したより伝統的なヴィクトリア朝の女性概念に近いものに変更されていると言う。'Whatever Happened to Elizabeth Jane ?: Revising Gender in *The Mayer of Casterbridge*', in *Thomas Hardy: Texts and Contexts*, ed. by Phillip Mallett (London, 2002), pp. 64-86 (pp. 73-83).

（29） George Burder, *Early Piety or Memoirs of Children Eminently Serious* (London, [1776]). ブリティッシュ・ライブラリー所蔵の最も古い版は一七八三年頃のH. Trapp刊である。

（30） William Jones, *The Jubilee Memorial of the Religious Tract Society: Containing a Record of its Origin, Proceedings, and Results* (London, 1850), p. 125を参照。

(31) *The Child's Companion; or, Sunday Scholar's Reward* (1824-1932); *The Boy's Own Paper* (1879-1967); *The Girl's Own Paper* (1880-1965). これらの雑誌についてはSamuel G. Green, *The Story of the Religious Tract Society: For One Hundred Years* (London, 1899), pp. 30-31, 127-28; Carpenter and Prichard および Watson の前掲書の各項を参照。

(32) Isaac Watts, *Divine and Moral Songs* (London, [1885]).

(33) Mrs. Barbauld, *Hymns in Prose for Children* (London, 1865); A[nna L[etitia] B[arbauld], *Hymns in Prose for Children* (London, 1781); *The Illustrated Children's Birthday-Book*, ed. by F[rederic] E[dward] Weatherly (London, [1882]).

(34) Mrs [Mary Louisa] Molesworth, *Robin Redbreast: A Story for Girls* (London, 1892); Mrs Molesworth, *Blanche: A Story for Girls* (London, 1894); Amy Walton, *Thistle and Rose: A Story for Girls* (London, 1895).

(35) 服や小物の流行等については、Buck, pp. 129, 227, 234-35, 239を参照。

結論

二〇〇〇年代半ば以降、イギリス児童文学の研究は大いに発展し、多くの優れた成果が見られた。たとえば、新しい児童文学史の試みにはドネル・リュウ編『カルチャリング・ザ・チャイルド、一六九〇－一九一四』（二〇〇五）がある。編者はロマン主義時代の児童詩の専門家である。子供の聖書の研究で知られるルース・B・ボティグハイマー、チャップブックなどの民衆本を含む初期児童書の社会史で多くの成果を上げているM・O・グレンビー、高名な英文学者でイーディス・ネズビットの評伝でも知られるジュリア・ブリッグス等が、初期児童書の書誌的研究方法論、一八世紀の女性・子供読者論、教訓物語作家のアナ・リティーシャ・バーボールド、ハナ・モア、セアラ・トリマーについての論考、一九、二〇世紀転換期の児童雑誌や学校物語の政治性などについての論を寄せている。グレンビーの単著『子供の読者――一七〇〇－一八四〇』（二〇一一）は、消費財としての児童書の誕生と子供という読者層の形成を、さまざまな種類の文献によって社会史的あるいは歴史社会学的な方法で考察した画期的なものである(1)。

さらに、ブリッグス、グレンビーとデニス・バッツ編の『イギリスのポピュラーな児童文学』(二〇〇八)は、児童文学において'popular'とは何を意味するのかについて初めて包括的に論じたものとして興味深い。本書でも対象としたトラクト、チャップブックなど「児童文学」の成立以前の児童書をも、民衆教育や民衆娯楽との関係を視野に入れて考察している。編者の一人であるグレンビーは同書の序論で、'popular'という形容詞の多義的な性格に注目し、「人気の」、すなわち多くの読者を得たという意味と同時に、「民衆的」あるいは「大衆的」という意味でもとらえるべきであるとしている。[2]それによって、いわゆるエリート文化と対立する「民衆文化」としての子供の読み物へと「児童文学」の領域が広がるのである。この問題設定は『マザー・グースとイギリス近代』(二〇〇五)[3]をはじめとする私自身の研究と同じである。児童文学史の「正典(キャノン)」による「偉大な伝統」から外れる「かつては著名であったが今は無視されている作家たち[4]」に含まれるのは、第二部で論じられるバーバラ・ホフランド、G・A・ヘンティ、アンジェラ・ブラジルなどの一九、二〇世紀のかつての人気作家ばかりではない。一八、一九世紀の民衆文学、民話や妖精物語、読み書きや理科の教材にいたる、さまざまな「人気の」本も対象となる。

一方、グレンビーは「子供」に「人気」があるとはどういう意味なのかについても慎重であるべきであると言う。それは単純に発行部数によって判断できるものではない。ヴィクター・ニューバーグの『民衆文学』(一九七七)[5]でも、いわゆる民衆文芸は児童文芸と明確には分けられていない。しばしば、大人向けのいわば「野卑な」読み物が子供たちにも愛読されたのである。また、大人の本においては多くの読者に読まれたものは、すなわち「人気」があったと考えられるが、児童書の場合は異なる。販売部数がそのまま子供の好みを反映するとは限らない。一八世紀を中心に、宗教道徳を教える多くの教訓的な詩や物語、聖書物語などが大量に刷られ、親や教師あるいは牧師などによって子供たちに与えられたこと、それらがのちに子供たちによってまま暗い残酷な内容のものとして避けられ、嫌悪されたことについては本書でもしばしば論及した。慈善学校や日曜学校の隆盛のもとで教理問答付きのＡＢＣの本や読み書き教科書が数多く出され、何度も版を重ねたのも同じ事情である。そもそも、グレンビーが言うように、児童書についての「子供の意見の記録は、特に二〇世紀以前は、ほとんど残っておらず、あったとしてもほとんど信頼できるものではない。[6]」今日それらの書についての同時代の証言を得るとすれば、その時点ではすでに大人であった今日まで名の残る作家や批評家の著作からである。これまで本書の各章で言及した、たとえば妖精物語の読書についてのトリマーやディケンズの幼い頃の記憶、あるいはトリマーのアイザック・ウォッツの『聖なる歌』についての、またチャールズ・ラムの『靴二つさん』についての思い出や批評などである。庶民の自伝などに探すこともできるが、いずれにせよ読者としての子供自身の感想ではない。

本書の第二章で扱った『聖なる歌』は、通算八〇〇万部以上が流通したとされる。まさしく一八、一九世紀を通じての大「ロング・セラー」である。その莫大な部数の流通による陳腐化や教訓の古さから、一九〇〇年以降はほとんど読まれなくなった。第四章で見た『ハバードおばさんとその犬の滑稽な冒険』は愛嬌のあるとぼけた犬の姿と行動で子供にも愛されたが、大人には政治的な諷刺として受け取られ評判をとった。本としては忘れられたのち、その犬は伝承童謡のキャラクターとしてのみ生き続けた。おそらく、本書で扱った本のうち、第三章で論じたジョン・ニューベリー刊の『靴二つさんの物語』は、最も純粋に子供たちに愛読されたものであると言えよう。読んだことのある気に入った本と同じ作者の本を求める子供の読者も多い現代とは異なり、作者名すら示されていない書の多い時代にあって、著者名に代わる版元名の「ニューベリー」は例外的に人気の「商標」であった[7]。

古い時代の子供の読み物を何らかの視点によって現代性を認めて評価することの正当性の認識のもとで、児童文学の「正典（キャノン）」や「偉大な伝統」が形成されてきた。今日も参照される児童文学史の原型が、たとえば、コーネリア・メグズ、アン・サクスター・イートン等の画期的な大冊『批評的児童文学史』（一九五三）、メアリー・F・スウェイトの『プライマーから読書の喜びへ――イングランドの子供の本の歴史入門』（一九六三）などであろう。前者では一八四〇年以前の民話や伝説の本、祈祷書付きの読み書き教本であるプライマーなどを扱う第一部に対し、第二、三、四部では、その四、五倍のページ数が、「偉大な伝統」を形づくるヴィクトリア時代から現代にいたる多くの「名作」にあてられる。後者はプライマーなどの時代から、啓蒙主義の時代、ロマン主義の時代を経て、ヴィクトリア朝、エドワード朝の児童文学の「満潮」（flood tide）へという流れをとらえている[8]。序論で紹介したように、このような発展的歴史観は一九八〇年代の児童文学史研究にも認められるものである。

子供の想像力を育み、子供たちに読書の楽しさを与えることを目的とする近代的な児童文学の成立の過程の考察において、本書が注目したことの一つに、非合理で野蛮な描写に含まれる「残酷性」の扱われ方がある。第五章で論じたように、子供の本における残酷な要素は、それぞれの時代の宗教的、道徳的、あるいは政治的な理由によって称揚されて利用され、また逆に警戒され否定される。啓蒙的で合理的な児童観の確立とともに、ピューリタン伝統の地獄の業火や天罰の思想、民話や妖精物語の野蛮な世界観は否定されるが、同時に奴隷制のような酷く非道な制度は告発すべき社会悪として好んで描かれる。イギリス児童文学は、近代産業社会の「健全な」市民や勤労者を育てる上で必要な道徳や倫理の器として生まれ、やがてそのことへの反発によって育ったとも言える。キリスト教精神は教訓主義から共助や慈善の精神に、妖精物語的な美徳は社会正義や公益の理念へと変容した。そうした物語では、仮に残酷な部分があっても、必ずそれに合理的な理由が与えられたうえで否定されるのである。ヴィクトリア朝のファンタジー作者たちもそのことに敏感であった。子供の本におけるこうした残酷性の扱いの変化の過程をたどるだけでも、これまでとは違う、もう一つのイギリス児童文学史を構想することができる。

これまでイギリス児童文学史は、児童文学の現代的概念の確立に向けて、偏狭な教訓主義から想像力の解放へ、あるいは教育目的から娯楽本位への発展の歴史であると考えられてきた。しかしイギリス近代の子供の読書を追体験することを目指した本書の理解によれば、イギリスの児童文学はそれほど予定調和論的な発展をたどってきたわけではないことがわかる。イギリス児童文学はさまざまなものを貪欲に取り込んで成立してきた。各章で見てきたように、聖書や教理問答を（第一、二章）、イギリス帝国の世界地図を（第三章のほか、第一、二、五、七、八章）、政治諷刺を（第四章）、慈善活動のパンフレットを（五章）、フォークロアを（第五、六章）、近代小説の児童観を（第七章）、そしてイギリス派絵画を（第八章）。このようなさまざまな要素を考慮に入れて子供の本とその読書の社会化を理解し、新たなイギリス児童文学史を編纂するには、たとえば次のようなことがらのより詳細な考察が必要となろう。すなわち、出版や流通のシステムの変化による消費財としての児童書の登場と発展、一八世紀におけるピューリタニズムの実践としての民衆教育がもたらした子供の読書体験の規範化、あるいはヴィクトリア朝における児童観のパラダイムの変更などである。そこでは、本書が数少ない例によって試みたように、名作児童文学の「正典」による「偉大な伝統」を形成してきた本だけではなく、多くの、今日ではほとんどあるいはまったく「忘れられた子供の本」が取り上げられ、その歴史的な意味が問われることとなる。

注

（1） *Culturing the Child, 1690–1914: Essays in Memory of Mitzi Myers*, ed. by Donelle Ruwe (Lanham, Maryland, 2005); M. O. Grenby, *The Child Reader, 1700–1840* (Cambridge, 2011).

（2） M. O. Grenby, General Introduction to *Popular Children's Literature in Britain*, ed. by Julia Briggs, Denis Butts and M. O. Grenby (Aldershot, 2008), pp. 1–20 (pp. 1–2).

（3） 拙著『マザー・グースとイギリス近代』（岩波書店、二〇〇五）。

（4） Grenby, General Introduction, p. 2を参照。

（5） Victor E. Neuburg, *Popular Literature: A History and Guide from the Beginning of Printing to the Year*

1897 (London, 1977).

（6）Grenby, General Introduction, pp. 2–6を参照。

（7）商標としての著者名については、Grenby, General Introduction, pp. 10–11を参照。

（8）Cornelia Meigs and others, *A Critical History of Children's Literature: A Survey of Children's Books in English, Prepared in Four Parts under the Editorship of Cornelia Meigs* (New York, 1953; revised edn.1969); Mary F. Thwaite, *From Primer to Pleasure in Reading: An Introduction to the History of Children's Books in England from the Invention of Printing to 1914 with an Outline of Some Developments in Other Countries* (London, 1963; Boston,1972), pp. 81–92.

あとがき

本書は、かつてイギリスで多くの子供たちの心をつかみ愛読されたか、あるいは少なくとも出版時に評判になったにもかかわらず、今日ではほとんど、あるいはまったく忘れられた古い子供の本を取りあげて論じたものである。もちろん、当初からそのような主題の研究を目指したわけではない。私は大学院生の頃から、イギリス革命に始まる社会改革の時代に子供が手にした本や、その読書が果たした社会的役割についての研究を進めていた。そのような観点から歴史的に重要と思われる書に注目した結果として、関心がいわゆる「児童文学」の揺籃期、形成期の本に向いていった。その時期の子供の本は、もはや一般の読者の目には触れないものがほとんどなのである。アンドルー・W・テュアの『忘れられた子供の本のページと挿絵』（一八九八－九九）やアーノルド・アーノルドの『忘れられた子供の本の挿絵と物語』（一九六九）などのアンソロジーにも導かれながら「忘れられた子供の本」そのものに意義を見出したのは、その研究を半ば進めた段階であった。一方でこの研究は、序論で示唆したように、リンダ・A・ポロックの子供の社会史『忘れられた子供たち』（一九八三）の影響下で進められたと言ってもよい。基本となる歴史認識や歴史記述の細部から学んだこともさることながら、むしろ「忘れられたもの」への注目とそれを証明する方法から影響を受けた。本書のタイトルはテュア等の書からだけではなく、同書からの借用でもある。

私はこれまでに、イギリス近代の子供の読書の社会文化史、イギリスの英語教育とその教科書の歴史に関する書などを著してきたが、いわゆる「児童文学」の作品そのものについての研究書は出していない。本書が初めてであり、その意味での感慨もある。ほとんどの章は一九八〇年代後半から二〇〇〇年代初めまでの私の初期の研究課題を反映したものである。初出論文の執筆時期が最も早いものは第五章の「妖精物語の残酷性」（一九八六）である。大学院生の頃に書き、初めて学会誌に投稿し掲載されたものである。最も新しいものは本書のために書き下ろした第八章の挿絵画家ロバート・バーンズ論である。結論でも触れたように、その間、イギリス児童文学史の研究は格段の進展を見せた。また私の研究がその流れを汲むものであることについても言及した。その一方で、今回、本書の編集に当たり、初期の論文をあらためて読んでみて気付いたのは、私の問題意識や研究方法、あるいは文体が現在も大して変わらないことである。この「進歩の無さ」をどのようにご評価いただけるかは大いに不安である。ただし、それらの論文を本書の各章として収録するに当たっては大幅な改稿と再構成を行った。

長期にわたるこれらの研究の過程では、言うまでもなく多くの方々にご指導やお力添えをいただいた。

私のイギリス児童文学史研究は筑波大学大学院への進学とともに始まる。まず、故谷本誠剛先生に、在りし日の温かいご指導への感謝を申し上げる。荒木正純先生には主査として、井上修一先生（ドイツ文学）と川那部保明先生（フランス文学）には副査として、本書にその内容の一部を含む博士論文のご審査をいただいた。成城大学の同僚であった富山太佳夫先生にも外部の審査員として副査をお努めいただいた。荒木先生にご推薦いただいたケンブリッジ大学ホマトン・カレッジ留学中に、故マリリン・バトラー教授、ジョン・ハーヴィー博士の英文学科の授業や談話を通して、マライア・エッジワースのような忘れられた作家の再評価の意義、近代小説の挿絵の技術的側面などについてお教えを受けたことは多い。英語圏児童文学会（旧日本イギリス児童文学会）では、故三宅興子先生、原昌先生、吉田新一先生に多くのご教示や励ましを頂戴した。これらの日英の先生方からの遠い日の学恩にあらためて深く感謝申し上げる。

近い分野を専攻する友人は決して多くない。東京女子大学田中美保子教授、川村学園女子大学菱田信彦教授、武蔵大学角田俊男教授のお三方は、ありがたいことに、拙論や拙著に対する的確な批評をくださり、またその優れた業績による刺激を与え続けてくれている。

英文学科の同僚の吉田直希先生、松川祐子先生、および民俗学がご専門の文化史学科の及川祥平先生には、校正刷りの段階でお目通しをいただき、貴重なご批評を頂戴した。心から感謝を申し上げる。

出版に当たっては、朝日出版社の田家昇氏に常に行き届いたお取り計らいをいただいた。厚くお礼申し上げる。また、本書を美しいデザインで飾ってくださった小島トシノブ氏にもお礼を申し上げる。

成城大学からは研究成果刊行補助を得た。謝意を込めて付記する。

二〇二三年九月

鶴見良次

初 出 一 覧

注記　本書の各章には，これまでに公開された論文，未発表原稿等を改稿したもの，その一部あるいは全体を別の媒体に掲載したもの，および新たに書き下ろしたものがある.

序論　書き下ろし

第１章　「「新約聖書が完璧に読めること」――18世紀イギリスにおける初頭リーディング教育の達成目標」(『成城文藝』第207号，2009年６月)，拙著『イギリス近代の英語教科書』開拓社，2021年３月，第８章

第２章　「教訓主義の衰退――アイザック・ウォッツの『聖なる歌』とそのトラクト」(川口喬一編『文学の文化研究』，研究社出版，1995年３月)，「フランス革命論争と妖精物語論争――社会改革期のイギリスにおける子供の読書」(2001年度筑波大学博士（文学）学位請求論文)，第８章

第３章　「魔女と女教師――ジョン・ニューベリー『靴ふたつさんの物語』研究」(『成城短期大学紀要』，第21号，1990年３月)，「慈善と冒険――教訓主義児童文芸における大英帝国の辺境」(『成城大学短期大学部紀要』，第31号，1999年12月)，前掲博士論文，第１章

第４章　「擬人的動物の童謡と童話」(*Otsuka Review*, 第23号，1987年８月)，「動物大道芸・戯れ唄・民衆政治――『ハバードおばさんとその犬』をめぐって」(『成城大学短期大学部紀要』，第32号，2000年７月)

第５章　「妖精物語の残酷性」(*Otsuka Review*, 第22号，1986年８月)，「クエーカー・奴隷制廃止運動・児童書」(『日本イギリス児童文学会会報』，2000年秋季号，2000年10月)

第６章　未発表原稿（1989年執筆）

第７章　「堕落しかつ罪のない子供たち――チャールズ・ディケンズとヴィクトリア朝の児童像再考」(*Otsuka Review*, 第27号，1991年３月．大塚英文学会1989年度大会シンポジウム「*Great Expectations* の解釈をめぐって」，1990年３月31日，茗渓会館，東京都，基調報告原稿)

第８章　書き下ろし

結論　書き下ろし

図33　Joseph Jacobs, *English Fairy Tales* (London, 1890). British Library.
図34　*Folk-Lore Record,* I (London, 1878). National Library of Australia.

図35　James Janeway, *A Token for Children* (London, 1792). British Library.
図36，37　Charles Dickens, *Great Expectations* (Oxford U. P.: Oxford, 1953).

図38，39，40，41，43　Sydney Grey, *Story-Land* (London, [1884]). 架蔵.
図42　北九州／東京，2008，展覧会図録『ジョン・エヴァレット・ミレイ展』北九州市立美術館（2008年６－８月）／Bunkamura ザ・ミュージアム（８-10月）.
図44　Nottingham/London, 1998, Exhibition catalogue, Martin Postle, *Angels & Urchins: The Fancy Picture in the 18th-Century British Art,* Djanogly Art Gallery, University of Nottingham/Kenwood House, London (Nottingham, 1998).
図45　Isaac Watts, *Divine and Moral Songs* (London, [*c.* 1865]). 架蔵.
図46　Mrs [Mary Louisa] Molesworth, *Robin Redbreast: A Story for Girls* (London, 1892). 架蔵.

Their Juvenile Books and Chapbooks (Private Libraries Association: Pinner, 1981).

図17 *A Grammar of Modern Geography. By Peter Parley* (London, 1838). 架蔵.

図18 S[arah] C[atherine] M[artin], *The Comic Adventures of Old Mother Hubbard and her Dog* (London, 1805). (*Nursery Rhymes and Chapbooks 1805-1814* (Garland: New York, 1978)).

図19 [Sarah Catherine Martin], *Old Mother Hubbard and her Dog,* facsimile edition (Oxford U. P.: Oxford, [1938]).

図20 Arnold Arnold, *Pictures and Stories from Forgotten Children's Books* (Dover: New York, 1969).

図21 *The Moving Adventures of Old Dame Trot and her Comical Cat* (London, 1807)（「複刻 世界の絵本館―オズボーン・コレクション」ほるぷ出版，1982).

図22 [Anon.], *Dame Wiggins of Lee, and her Seven Wonderful Cats,* ed. by John Ruskin, and illustrations by Kate Greenaway (London, 1885). 架蔵.

図23 [William Makepeace] Thackeray and others, *The Comic Almanack,* 2 vols (London, [1870, 78]), I ([1870]). 成城大学.

図24 *The Guardian of Education, Conducted by Mrs Trimmer,* vol. I (London, 1802). British Library.

図25 *Histories or Tales of Past Times Told by Mother Goose with Morals* (Nonesuch: London, 1925).

図26 *German Popular Stories with Illustrations after the Original Designs of George Cruikshank,* ed. by Edgar Taylor (Chatto & Windus: London, 1907).

図27 *Facsimile of John Foxe's Book of Martyrs: 1583 Acts and Monuments of Matters Most Speciall and Memorable* (Oxford: Oxford U. P., [*c.* 2001]).

図28 Sarah Trimmer, *A Concise History of England,* 2 vols, II (London, 1808). Birmingham Central Library.

図29 Mrs [Mary Martha] Sherwood, *The Fairchild Family,* 13th edn (London, 1839). 架蔵.

図30 Amelia Alderson Opie, *The Black Man's Lament; or, How to Make Sugar* (London, 1826). British Library.

図31，32 *George Cruikshank's Fairy Library* (London, [1865]). 架蔵.

図版出典

注記　1900年以前に刊行された書については版元の記載を省略し，所蔵館を明示し，また架蔵のものについてはその旨示した．

図1　Andrew W. Tuer, *Pages and Pictures from Forgotten Children's Books* (London, 1898-99; repr. Singing Tree: Detroit, 1969).

図2　*From Instruction to Delight: An Anthology of Children's Literature to 1850*, ed. by Patricia Demers and Gordon Moyles (Oxford U. P.: Toronto, 1982).

図3　Mr [Jean Frédéric] Ostervald, *An Abridgment of the History of the Bible*, new edn (London, 1823). 架蔵.

図4　*A Compendious History of the Old and New Testament, Extracted from the Holy Bible*, 3rd edn (London, 1735). 架蔵.

図5　[Anon.], *The Childrens Bible; or, An History of the Holy Scriptures* (London, 1763). Birmingham Central Library.

図6，7，8　Isaac Watts, *Divine Songs: Attempted in Easy Language for the Use of Children*, Facsimile Reproductions of the First Edition of 1715 and an Illustrated Edition of *circa* 1840, with an Introduction and Bibliography by J. H. P. Pafford (Oxford U. P.: Oxford, 1971).

図9　I. Watts, *Divine Songs*, Cheap Repository, later edition (London, [n.d.]). 架蔵.

図10　I. Watts, *Divine Songs* (London, 1800). British Library.

図11，12，15　*The History of Goody Two-Shoes; Otherwise Called, Mrs. Margery Two-Shoes*, 3rd edn (London, 1766; facsimile reproduction, 1882). 架蔵.

図13　Walter Crane, *Goody Two-Shoes* (London, 1874). Metropolitan Museum of Art.

図14　[Anon.] *Fairy Stories: An All-Colour Picture Book* (London, [1955]).

図16　S. Roscoe and R. A. Brimmell, *James Lumsden & Son of Glasgow:*

――――「谷本誠剛先生とジョウゼフ・ジェイコブズ」（『追想 谷本誠剛』レターボックス社，2007，197-99頁）.
――――「フランス革命論争と妖精物語論争――社会改革期のイギリスにおける子供の読書」2001年度筑波大学博士（文学）学位請求論文.
――――『マザー・グースとイギリス近代』岩波書店，2005
長嶺倫子「ヴィクトリア朝の仮装の少女像――ジョン・エヴァレット・ミレイ《チェリー・ライプ》（1879），その複製と模倣」（お茶の水女子大学大学院人間文化研究科『人間文化論叢』5巻，2002年3月，379-387頁）.
日本基督教団讃美歌委員会編『讃美歌21略解』，再版，日本基督教団出版局，2003.
原恵『賛美歌――その歴史と背景』日本基督教団出版局，1980.
「複刻 世界の絵本館――オズボーン・コレクション」ほるぷ出版，1982.
三宅興子『イギリス児童文学論』，翰林書房，1993.

Wilson, Kathleen, 'The Island Race: Captain Cook, Protestant Evangelicalism and the Construction of English National Identity, 1760-1880', in *Protestantism and National Identity: Britain and Ireland,* c. *1650*-c. *1850,* ed. by Tony Claydon and Ian McBride (Cambridge, 1998), pp. 265-90.

Wood, Clare, Chapter 31, 'Material Culture', in *The Oxford Handbook of Charles Dickens,* ed. by Robert L. Patten, John O. Jordan, and Catherine Waters (Oxford, 2018), pp. 452-67.

Zipes, Jack, *Breaking the Magic Spell: Radical Theories of Folk and Fairy Tales* (London, 1979).

———, *The Trials and Tribulations of Little Riding Hood* (London, 1983).

邦文文献

青木健「児童文学擁護論——ディケンズ vs. クルックシャンク」(『成城文藝』217号，2011年12月，(1)-(18) 頁)).

大貫隆，名取四郎，宮本久雄，百瀬文晃編『岩波キリスト教辞典』(岩波書店，2002).

角山榮，川北稔編『路地裏の大英帝国——イギリス都市生活史』(平凡社，1982).

北九州／東京，2008，展覧会図録『ジョン・エヴァレット・ミレイ展』北九州市立美術館（2008年6-8月）／Bunkamura ザ・ミュージアム（8-10月).

佐藤直樹『ファンシー・ピクチャーのゆくえ——英国における「かわいい」美術の誕生と展開』中央公論美術出版，2022（「ファンシー・ピクチャー研究——英国における「かわいい」美術の系譜」，2021年度成城大学博士（文学）学位請求論文).

坂井妙子『アリスの服が着たい——ヴィクトリア朝児童文学と子供服の誕生』(勁草書房，2007).

———「ケイト・グリーナウェイ・スタイル——1880年代イギリスの子供服」(『国際服飾学会誌』23号，2003年5月，84-102頁).

『聖書——新共同訳・引照つき』(日本聖書協会，2012).

谷本誠剛「昔話と児童文学の文体と表現——昔話から創作昔話へ」2003年度筑波大学博士（文学）学位請求論文.

鶴見良次『イギリス近代の英語教科書』開拓社，2021.

———「教訓主義の衰退——アイザック・ウォッツの『聖なる歌』とそのトラクト」(川口喬一編『文学の文化研究』研究社出版，1995，147-63頁).

Stone, Wilbur Macey, *The Divine and Moral Songs of Isaac Watts. An Essay thereon and a Tentative List of Editions* (New York, 1918).

———, 'A Brief List of Editions of Watt's [*sic*] Divine Songs Located since 1918', Typescript (New York, 1929).

Summerfield, Geoffrey, *Fantasy and Reason: Children's Literature in the Eighteenth Century* (London, 1984).

Thomas, Keith, *Religion and the Decline of Magic: Studies in Popular Beliefs in Sixteenth and Seventeenth-Century England* (London, 1971; repr. Harmondsworth, 1978)（キース・トマス『宗教と魔術の衰退』上下，荒木正純訳，法政大学出版局，1993）.

Thwaite, Mary F., *From Primer to Pleasure in Reading: An Introduction to the History of Children's Books in England from the Invention of Printing to 1914 with an Outline of Some Developments in Other Countries* (London, 1963; repr. Boston,1972).

Townsend, John Rowe, *Written for Children: An Outline of English-Language Children's Literature*, 3rd edn (London, 1987)（J・R・タウンゼンド『子どもの本の歴史――英語圏の児童文学』上下，高杉一郎訳，岩波書店，1982）.

Trilling, Lionel, *The Liberal Imagination: Essays on Literature and Society* (London,1950; repr. New York, 2008).

Tsurumi, Ryoji, 'Between Hymnbook and Textbook: Elizabeth Hill's Anthologies of Devotional and Moral Verse for Late Charity Schools', *Paradigm: Journal of the Textbook Colloquium*, 2-1 (2000), 24-29.

Vincent, David, *The Rise of Mass Literacy: Reading and Writing in Modern Europe* (Cambridge, 2000)（デイヴィド・ヴィンセント『マス・リテラシーの時代――近代ヨーロッパにおける読み書きの普及と教育』北本正章監訳，新曜社，2011）.

Watson, J. R., *The English Hymn: A Critical and Historical Study* (Oxford, 1997).

Watson, Victor, *The Cambridge Guide to Children's Books in English* (Cambridge, 2001).

Whalley, Joyce Irene, *Cobwebs to Catch Flies: Illustrated Books for the Nursery and Schoolroom 1700-1900* (Berkeley, 1975).

Williams, Leslie, 'The Look of Little Girls: John Everett Millais and the Victorian Art Market', in *The Girl's Own: Cultural Histories of the Anglo-American Girl, 1830-1915*, ed. by Claudia Nelson and Lynne Vallone (Athens, Georgia: 1994), pp. 124-55.

1900 (Cambridge, 1983)（リンダ・A・ポロク『忘れられた子どもたち——1500-1900年の親子関係』中地克子訳，勁草書房，1988）.

Porter, Roy, *English Society in the Eighteenth Century*, rev. edn (London, 1990)（ロイ・ポーター『イングランド18世紀の社会』目羅公和訳，法政大学出版局，1996）.

Quayle, Eric, *The Collector's Book of Children's Books* (London, 1971).

Reid, Forrest, *Illustrators of the Eighteen Sixties: An Illustrated Survey of the Work of 58 British Artists* (New York, 1975).

Reis, Pamela Tamarkin, 'Victorian Centerfold: Another Look at Millais's *Cherry Ripe*', *Victorian Studies*, 35 (1992), 200-05.

Reynolds, Kimberley, 'Rewarding Reads? Giving, Receiving and Resisting Evangelical Reward and Prize Books' in *Popular Children's Literature in Britain*, ed. by Julia Briggs, Dennis Butts, and M. O. Grenby (Aldershot, 2008), pp. 189-207.

Richards, Jeffrey, ed., *Imperialism and Juvenile Literature* (Manchester, 1989).

Roberts, Julian, 'The 1765 Edition of *Goody Two-Shoes*', *British Museum Quarterly*, 29 (Summer, 1965), 67-70.

Roe, F. Gordon, *The Victorian Child* (London, 1959).

Roscoe, S., *John Newbery and his Successors 1740-1814: A Bibliography* (Wormley, 1973).

Rose, Clare, *Children's Clothes since 1750* (London, 1989).

Ruwe, Donelle, ed., *Culturing the Child, 1690-1914: Essays in Memory of Mitzi Myers*, (Lanham, Maryland, 2005).

Sadrin, Anny, *Great Expectations* (London, 1988).

Sampson, George, 'The Century of Divine Songs' in *Proceedings of the British Academy*, 29 (1943), 37-64.

Sato, Kazuya, 'John Newbery's Works: A Historical Study'（『東京大学教養学部教養学科紀要』24輯，1992，27-48頁）.

Sommerville, C. John, *The Discovery of Childhood in Puritan England* (Athens, GA, 1992).

Spilka, Mark, 'On the Enrichment of Poor Monkeys by Myth and Dream; or, How Dickens Rousseauisticized and Pre-Freudianized Victorian Views of Childhood' in *Sexuality and Victorian Literature*, ed. by Don Richard Cox (Knoxville,1984), pp. 161-79.

Stone, Harry, *Dickens and the Invisible World: Fairy Tales, Fantasy, and Novel-Making* (London, 1979).

Moorman, John. R. H., *A History of the Church in England,* 3rd edn (London, 1973) (J・R・H・ムアマン『イギリス教会史』八代崇，中村茂，佐藤哲典訳，聖公会出版，1991)．

Muir, Percy, *English Children's Books 1600 to 1900* (London, 1954).

Neill, Stephen, *A History of Christian Missions,* 2nd edn (London, 1990).

Neuburg, Victor E., *Popular Education in Eighteenth-Century England* (London, 1971).

———, *Popular Literature: A History and Guide from the Beginning of Printing to the Year 1897* (London, 1977).

Nottingham/London, 1998, Exhibition catalogue, Martin Postle, *Angels & Urchins: The Fancy Picture in the 18th-Century British Art,* Djanogly Art Gallery, University of Nottingham/Kenwood House, London (Nottingham, 1998).

Nottingham/Penzance, 1998/1999, Exhibition catalogue, Christiana Payne, *Rustic Simplicity: Scenes of Cottage Life in Nineteenth-Century British Art,* Djanogly Art Gallery, University of Nottingham Art Centre/Penlee House Gallery and Museum, Penzance (Nottingham, 1998).

Opie, Iona and Peter, *The Classic Fairy Tales* (New York, 1974)（オピー夫妻編著『妖精物語』上下，神宮輝夫訳，草思社，1984)．

———, eds, *A Nursery Companion* (Oxford, 1980).

———, eds, *The Oxford Dictionary of Nursery Rhymes* (Oxford, 1951; repr. 1980).

Palmer, Alan and Veronica, *The Chronology of British History* (London, 1992).

Paulson, Ronald, *The Art of Hogarth* (London, 1975).

Pickering, Jr., Samuel F., *John Locke and Children's Books in Eighteenth-Century England* (Knoxville, 1981).

Pinchbeck, Ivy, and Margaret Hewitt, *Children in English Society,* 2 vols (London,1969, 1973).

Pinto, V. de Sola, 'Isaac Watts and the Adventurous Muse', *Essays and Studies of the English Association,* 20 (1935), 86-107.

———, 'Isaac Watts and William Blake', *Review of English Studies,* 20 (1944), 214-23.

Plomer, Henry R., *A Dictionary of the Printers and Booksellers Who Were at Work in England, Scotland and Ireland from 1668 to 1725* (Oxford, 1922; repr. 1968).

Pollock, Linda A., *Forgotten Children: Parent-Child Relations from 1500 to*

Houfe, Simon, ed., *The Dictionary of 19th Century British Book Illustrators and Caricaturists,* (Woodbridge, 1996).

Jackson, Arlene M., *Illustration and the Novels of Thomas Hardy* (London, 1981).

Jan, Isabell, *On Children's Literature,* translated and ed. by Catherine Storr (New York, 1973).

Jones, M. G., *Hannah More* (Cambridge, 1952).

Julian, John, *A Dictionary of Hymnology: Setting forth the Origin and History of Christian Hymns of All Ages and Nations* (London, 1892; repr. 1925).

Kincaid, James R., *Child-Loving: The Erotic Child and Victorian Culture* (NewYork, 1992).

Kingsley, Joey, 'Bodily Filth and Disorientation: Navigating Orphan Transformations in the Works of Dr Thomas Barnardo and Charles Dickens', in *Rereading Orphanhood: Texts, Inheritance, Kin,* ed. by Diane Warren and Laura Peters (Edinburgh, 2022), pp. 121-41.

Kitton, Frederic G.,*Dickens and his Illustrators* (London, 1899).

Kotzin, Michael C., *Dickens and the Fairy Tale* (Bowling Green, Ohio, 1972).

Leach, Robert, *The Punch & Judy Show: History, Tradition and Meaning* (London, 1985).

Leavis, F. R. and Q. D., *Dickens the Novelist* (Harmondsworth, 1972).

Mandelbrote, Scott, 'The Bible and Didactic Literature in Early Modern England', in *Didactic Literature in England 1500-1800: Expertise Constructed,* ed. by Natasha Glaisyer and Sara Pennell (Aldershot, 2003), pp. 19-39.

McCarthy, William, 'Mother of All Discourses: Anna Barbauld's *Lessons for Children*', *The Princeton University Library Chronicle,* 60-2 (1999), 196-219.

McDonagh, Josephine, *Child Murder and British Culture 1720-1900* (Cambridge, 2003).

Meigs, Cornelia and others, *A Critical History of Children's Literature: A Survey of Children's Books in English, Prepared in Four Parts under the Editorship of Cornelia Meigs* (New York, 1953; revised edn, 1969).

Moon, Marjorie, *The Children's Books of Mary (Belson) Elliott: Blending Sound Christian Principles with Cheerful Cultivation* (London, 1987).

———, *John Harris's Books for Youth 1801-1843,* rvd. edn (Folkestone, 1992).

Julia Briggs, Dennis Butts, and M. O. Grenby (Aldershot, 2008), pp. 209-28.

Forrester, Wendy, *Great-Grandmama's Weekly: A Celebration of the Girl's Own Paper 1880-1901* (London, 1980).

Ghent, Dorothy Van, *The English Novel: Form and Function* (New York,1961).

Gibson, William, *The Church of England 1688-1832: Unity and Accord* (London, 2001).

The Girl's Own Paper (1880-1965).

Goldman, Paul, and Simon Cooke, eds, *Reading Victorian Illustration, 1855-1875: Spoils of the Lumber Room* (London, 2017).

Graves, Norman, *School Textbook Research: The Case of Geography 1800–2000* (London, 2001).

Green, Roger Lancelyn, 'The Golden Age of Children's Books', *Essays and Studies*, n.s., 15 (1962), 59-73.

Green, Samuel G., *The Story of the Religious Tract Society: For One Hundred Years* (London, 1899).

Grenby, M. O., 'Before Children's Literature: Children, Chapbooks and Popular Culture in Early Modern Britain', in *Popular Children's Literature in Britain*, ed. by Julia Briggs, Dennis Butts, and M. O. Grenby (Aldershot, 2008), pp. 25-46.

———, *The Child Reader 1700-1840* (Cambridge, 2011).

———, '"A Conservative Woman Doing Radical Things" : Sarah Trimmer and *The Guardian of Education'*, in *Culturing the Child 1690-1914: Essays in Memory of Mitzi Myers*, ed. by Donelle Ruwe (Lanham, Maryland, 2005), pp. 137-61.

———, General Introduction to *Popular Children's Literature in Britain*, pp. 1-20.

Harvey, J[ohn] R., *Victorian Novelists and their Illustrators* (London, 1970).

Hass, Andrew, David Jasper and Elisabeth Jay, eds, *The Oxford Handbook of English Literature and Theology* (Oxford, 2007).

Hillard, Molly Clark, Chapter 24, 'Charles Dickens and the "Dark Corners" of Children's Literature', in *The Oxford Handbook of Charles Dickens*, ed. by Robert L. Patten, John O. Jordan, and Catherine Waters (Oxford, 2018), pp. 337-53 (pp. 337-39).

Himmelfarb, Gertrude, *The Idea of Poverty: England in the Early Industrial Age* (London, 1984).

ター・カヴニー『子どものイメージ――文学における「無垢」の変遷』江河徹監訳，紀伊國屋書店，1979).

Cunnington, Phillis and Anne Buck, *Children's Costume in England: From the Fourteenth to the End of the Nineteenth Century* (London, 1965).

Cutt, M. Nancy, *Mrs. Sherwood and her Books for Children* (Oxford, 1974).

Dalziel, Pamela, 'Whatever Happened to Elizabeth Jane?: Revising Gender in *The Mayer of Casterbridge*', in *Thomas Hardy: Texts and Contexts*, ed. by Phillip Mallett (London, 2002), pp. 64-86.

Darton, F. J. Harvey, *Children's Books in England: Five Centuries of Social Life*, 3rd edn, rev. by Brian Alderson (Cambridge, 1982).

David, Linda and Lawrence Darton, *Children's Books Published by William Darton and his Sons: A Catalogue of an Exhibition at the Lilly Library, Indiana University, April-June 1992* (Bloomington, [1992]).

Davidoff, Leonore, and Catherine Hall, *Family Fortunes: Men and Women of the English Middle Class, 1780-1850* (London,1987).

Davis, Arthur Paul, *Isaac Watts: His Life and Works* (London, 1948).

Dobbs, A. E., *Education & Social Movements 1700-1850* (London, 1919; repr. New York, 1969).

Dorson, Richard M., *The British Folklorists: A History* (Chicago, 1968).

――――, Forward to *Folktales of England*, ed. by Katharine M. Briggs and Ruth L. Tongue (London, 1965), pp. v-xxii.

Eaglestone, Robert, *Doing English:A Guide for Literature Students*, 2nd edn (London, 2002)（ロバート・イーグルストン『「英文学」とは何か―新しい構築のために』川口喬一訳，研究社，2003).

Easlea, Brian, *Witch Hunting, Magic and the New Philosophy: An Introduction to Debates of the Scientific Revolution, 1450-1750* (Brighton, 1980)（ブライアン・イーズリー『魔女狩り対新哲学――自然と女性像の転換をめぐって』市場泰男訳，平凡社，1986).

Egoff, Sheila, G. T. Stubbs and L. F. Ashley, eds, *Only Connect: Readings on Children's Literature* (Toronto, 1980)（S・イーゴフ，G・T・スタブス，L・F・アシュレイ編『オンリー・コネクト――児童文学評論選』全3冊，猪熊葉子，清水真砂子，渡辺茂男訳，岩波書店，1978-80).

Ellis, Alec, *A History of Children's Reading and Literature* (Oxford, 1968).

Engen, Rodney K., *Dictionary of Victorian Wood Engravers* (Cambridge, 1985).

Fyfe, Aileen, 'Tracts, Classics and Brands: Science for Children in the Nineteenth Century' in *Popular Children's Literature in Britain*, ed. by

ム期の子供と家族生活』杉山光信，杉山恵美子訳，みすず書房，1980).

Avery, Gillian, *Nineteenth Century Children: Heroes and Heroines in English Children's Stories 1780-1900* (London,1965).

Bostridge, Ian *Witchcraft and its Transformations* c. *1650*-c. *1750* (Oxford, 1997).

Bottigheimer, Ruth B., *The Bible for Children: From the Age of Gutenberg to the Present* (New Haven, 1996).

———, 'The Book on the Bookseller's Shelf and the Book in the English Child's Hand', in *Culturing the Child, 1690-1914,* ed. by Donelle Ruwe (Lanham, Maryland, 2005), pp. 3-28.

Briggs, Asa, *A History of Longmans and their Books 1724-1990: Longevity in Publishing* (London, 2008).

Briggs, Julia, Denis Butts and M. O. Grenby, eds, *Popular Children's Literature in Britain* (Aldershot, 2008).

Briggs, Katharine M., 'The Folklore Society and its Beginnings' in *Animals in Folklore,* ed. by J. R. Porter and W. M. S. Russell (Cambridge, 1978).

Buck, Anne, *Clothes and the Child: A Handbook of Children's Dress in England 1500-1900* (New York, 1996).

Burnett, John, ed., *Destiny Obscure: Autobiographies of Childhood, Education and Family from the 1820s to the 1920s* (Harmondsworth, 1984).

Butler, Marilyn, *Romantics, Rebels and Recactionaries: English Literature and its Background 1760-1830* (Oxford, 1981).

Butts, Dennis, 'The Adventure Story', in *Stories and Society: Children's Literature in its Social Context,* ed. by Butts (London, 1992), pp. 65-83.

Carpenter, Humphrey and Mari Prichard, *The Oxford Companion to Children's Literature* (Oxford, 1984); 2nd edn, rev. by Daniel Hahn (Oxford, 2015)（ハンフリー・カーペンター，マリ・プリチャード『オックスフォード世界児童文学百科』神宮輝夫監訳，原書房，1999，新版ダニエル・ハーン編著，白井澄子，西村醇子，水間千恵監訳，原書房，2023).

Clarke, W. K. Lowther, *A History of the S. P. C. K* (London, 1959).

Claydon, Tony, and Ian McBride, *Protestantism and National Identity: Britain and Ireland,* c. *1650*-c. *1850* (Cambridge, 1998).

Cohen, Jane R., Charles Dickens and his Original Illustrators (Columbus, 1980.

Coveney, Peter, *Poor Monkey: The Child in Literature* (London,1957)（ピー

Watts, I[saac], *Divine Songs Attempted in Easy Language for the Use of Children* (London, 1715).
———, *Divine Songs, Attempted in Easy Language. For the Use of Children* (Derby, [1840?]).
Watts, Isaac, *Divine Songs: Attempted in Easy Language for the Use of Children,* Facsimile Reproductions of the First Edition of 1715 and an Illustrated Edition of *circa* 1840, with an Introduction and Bibliography by J. H. P. Pafford (Oxford, 1971).
———, *Divine and Moral Songs* (London, [1885]).
———, *Divine and Moral Songs for Children* (London, [*c.* 1820]).
Watts, I., *An Essay towards the Encouragement of Charity Schools, Particularly Those Which Are Supported by Protestant Dissenters, for Teaching the Children of the Poor to Read and Work* (London, 1728).
———, *Horæ Lyricæ. Poems Chiefly of the Lyric Kind,* 2 vols ([1706]).
[Watts, Isaac], *Hymns and Spiritual Songs,* 3 vols (London, 1707).
Watts, I., *Prayers Composed for the Use and Imitation of Children, Suited to their Different Ages and their Various Occasions* (London, 1728).
———, *The Psalms of David Imitated in the Language of the New Testament* (London, 1719).
Welsh, Charles, *A Bookseller of the Last Century: Being Some Account of the Life of John Newbery and of the Books He Published with a Notice of the Later Newberys* (London, 1885).

第2次資料

欧文文献

Allingham, Philip V., 'Robert Barnes' Illustrations for Thomas Hardy's *The Mayor of Casterbridge* as Serialised in *The Graphic*', *Victorian Periodicals Review,* 28-1 (1995), 27-39.
Altick, Richard D., *The English Common Reader: A Social History of the Mass Reading Public 1800-1900* (Chicago, 1957; repr. 1983).
———, *The Shows of London* (Cambridge, MA, 1978)（R・D・オールティック『ロンドンの見世物』全3巻，小池滋監訳，国書刊行会，1989-90)．
Ariès, Philippe, *L'enfant et la Vie Familiale sous l'Ancien Régime* (Paris, 1960)（フィリップ・アリエス『〈子供〉の誕生――アンシァン・レジー

her Dog, by Another Hand (London, [1806]).

Sherwood, Mrs [Mary Martha],*The History of the Fairchild Family; or, The Child's Manual* (London, 1818; 13th edn. London, 1839).

Spenser, 'Edmund Mother Hubbard's Tale' (1590).

———, *The Traditional Faery Tales of Little Red Riding hood, Beauty and the Beast & Jack and the Beanstalk* (London, 1845).

[Swift, Jonathan], *Travels into Several Remote Nations of the World by Lemuel Gulliver, First a Surgeon, and Then a Captain of Several Ships* (1726).

Taylor, Isaac *Scenes in Asia* (London, 1819).

[Taylor, Jane ane and Ann], *City Scenes, or a Peep into London. For Children* (London, 1818).

Thackeray, [William Makepeace], and others, *The Comic Almanack,* 2 vols (London, [1870, 78]).

Thackeray, William Makepeace, *Miscellaneous Papers and Sketches Hitherto Uncollected* (Boston, 1899).

———, *The Rose and the Ring; or, The History of Prince Giglio and Prince Bulbo* (London, 1855).

Trimmer, Mrs. [Sarah], *A Comment on Dr. Watts's Divine Songs for Children, with Questions* (London, 1789).

Trimmer, Sarah, *A Concise History of England,* 2 vols (London, 1808).

Tuer, Andrew W., *Pages and Pictures from Forgotten Children's Books* (London, 1898-99; repr. Detroit, 1969).

———, *Stories from Old-Fashioned Children's Books* (London, 1899-1900; repr. New York, 1969).

Walton, Amy, *Thistle and Rose: A Story for Girls* (London, 1895).

Watts, I[saac], *The Art of Reading and Writing English: or, The Chief Principles and Rules of Pronouncing our Mother-Tongue, Both in Prose and Verse; with a Variety of Instructions for True Spelling* (London, 1721).

Watts, Isaac, *Catechisms: or, Instructions in the Principles of the Christian Religion, and the History of Scripture, Composed for Children and Youth, According to their Different Ages. To Which is Prefix'd, a Discourse on the Way of Instruction by Catechisms, and the Best Manner of Composing Them,* 2nd edn (London, 1730).

[Watts, Isaac], [*A Discourse on the Education of Children and Youth*] ([London, 1725]).

Ostervald, Mr [Jean Frédéric], *An Abridgment of the History of the Bible* (new edn, London, 1823).
———, [*An Abridgment of the History of the Bible*] (London, [1854?]).
———, *Ettunetle choh kwunduk nyukwun treltsei* (London, [1885?]).
[Anon.], *The Parental Instructor; or, A Father's Present to Children* (London, 1820).
Parley, Peter, *A Grammar of Modern Geography* (London, 1838).
Pascoe, C. F., *Two Hundred Years of the S. P. G.: An Historical Account of the Society for the Propagation of the Gospel in Foreign Parts, 1701-1900*, 2 vols (London, 1901).
[Perrault, Charles], *Les Contes de Perrault . Dessins par Gustave Doré* (Paris, 1862).
———, *The Fairy Tales of Charles Perrault, Newly Translated by Norman Denny* (London, 1950 [1951]).
———, *The Fairy Tales of Charles Perrault. Translated with an Introduction by Geoffrey Brereton* (Harmondsworth, 1957).
Perrault, Charles, *Histoires, ou Contes du Temps Passé avec des Moralités* (Paris, 1697)（『完訳ペロー童話集』新倉朗子訳，岩波文庫，1982）.
Perrault, M., [Charles], *Histories or Tales of Past Times Told by Mother Goose with Morals*, ed. by J. Saxon Childers (London, 1925).
———, *Histories, or Tales of Past Times: With Morals*, 2nd edn (London, 1737).
Ralston, W. R. S., 'Notes on Folk-Tales' in *Folk-Lore Record*, I (London, 1878).
The Religious Tract Society Catalogue-1889 (London, [1889]).
Richardson, Samuel, *Clarissa; or The History of a Young Lady*, 2 vols (London, 1748).
Roscoe, William Caldwell, 'Children's Fairy Tales, and George Cruikshank' (1854), in *A Peculiar Gift*, ed. by Lance Salway, pp. 119-26.
Roscoe, William, *The Butterfly's Ball and the Grasshopper's Feast* (London, 1807).
Ruskin, John, *The King of the Golden River, or The Black Brothers: A Legend of Stiria* (London, [1851]).
Salway, Lance, ed., *A Peculiar Gift: Nineteenth Century Writings on Books for Children* (Harmondsworth, 1976).
Signal: Approaches to Children's Books, 9 (1972).
[Anon.], *A Sequel to the Comic Adventures, of Old Mother Hubbard, and*

Lang, Andrew, *The Blue Fairy Book* (London, 1889); Joseph Jacobs, *English Fairy Tales* (London, 1890; repr. 1984).

Little Goody Two-Shoes and Other Stories Originally Published by John Newbery, ed. by M. O. Grenby (London, 2013).

Locke, John, *Some Thoughts Concerning Education*, ed. by John W. and Jean S. Yolton (Oxford, 2000)（ロック『教育に関する考察』服部知文訳, 岩波文庫, 1967）.

[Lumsden, James], *The History of Goody Two Shoes with the Adventures of her Brother Tommy* ([1818 or after]).

M[artin], S[arah] C[atherine], *The Comic Adventures of Old Mother Hubbard and her Dog* (London, 1805).

[Martin, Sarah Catherine], *Old Mother Hubbard and her Dog*, facsimile edition (Oxford, [1938]).

Merton, Ambrose, *The Old Story Books of England* (London, 1845).

Milner, Thomas, *The Life, Times, and Correspondence of the Rev. Isaac Watts, D. D.* (London, 1845).

Molesworth, Mrs [Mary Louisa], *Blanche: A Story for Girls* (London, 1894).

———, *Robin Redbreast: A Story for Girls* (London, 1892).

Montalba, Anthony R., *Fairy Tales from All Nations* (London, 1849).

More, Hannah, *Strictures on the Modern System of Female Education*, 7th edn (London, 1799).

Morley, Henry, 'The School of the Fairies' *Household Words* (30 June 1853).

[Newbery, John], *The History of Little Goody Two-Shoes; Otherwise Called, Mrs. Margery Two-Shoes,* (London, 1765; repr. New York, 1977).

———, *Goody Two-Shoes: A Facsimile Reproduction of the Edition of 1766* (London, 1882).

———, *Little Goody Two-Shoes and Other Stories Originally Published by John Newbery*, ed. by M. O. Grenby (London, 2013).

———, *Mother Goose's Melody* (London, *c.* 1760).

———, *Mother Shipton* (London, 1800).

———, *The Sister Witches, or Mirth and Magic* (London, 1782).

Nursery Rhymes and Chapbooks 1805-1814, with a preface by Justin G. Schiller (New York, 1978).

Opie, Amelia Alderson, *The Black Man's Lament; or, How to Make Sugar* (London, 1826).

[Ostervald, Jean Frédéric], *An Abridgment of the History of the Bible* (London, 1715).

Improved Edition (London, 1806).

————, *Goody Two-Shoes; or, The History of Little Margery Meanwell, in Rhyme* (London, 1825).

————, *The Talking Bird or Dame Trudge and her Parrot* (London, 1806).

Hartland, Edwin Sidney, *The Science of Fairy Tales: An Inquiry into Fairy Mythology* (London,1891).

[Hill, Elizabeth], *The Poetical Monitor: Consisting of Pieces Select and Original, for the Improvement of the Young in Virtue and Piety: Intended to Succeed Dr. Watts' Divine and Moral Songs* (London, 1796).

Hindley, Charles, *The History of the Catnach Press* (London, 1887).

[Anon.], *A History of Goody Two Shoes' Birth-Day in Verse* (London, 1809).

[Anon.], *The History of Little Red Riding-Hood, in Verse* (London, 1807).

Hoole, Charles, *A New Discovery of the Old Art of Teaching Schoole* (London, 1660; repr. Liverpool, 1913).

Horne, Richard Henry, 'A Witch in the Nursery' *Household Words* (20 September 1851).

The Illustrated Children's Birthday-Book, ed. by F[rederic] E[dward] Weatherly (London, [1882]).

[Anon.], *Infant Institutes* ([n.p.], 1797).

Jacobs, Joseph *English Fairy Tales* (London, 1890; repr. 1984).

————, *More English Fairy Tales* (London, 1893).

Janeway, James, *A Token for Children* (London, 1672); later edn (London, 1792).

Johnson, Samuel, The *Lives of the Most Eminent English Poets,* new edn, 4 vols (London, 1790-91).

Jones, William, *The Jubilee Memorial of the Religious Tract Society: Containing a Record of its Origin, Proceedings, and Results* (London, 1850).

Keightley, Thomas, *The Fairy Mythology: Illustrative of the Romance and Superstition of Various Countries* (London, 1850).

Kingsley, Charles, *The Water-Babies: A Fairy Tale for a Land-Baby* (London, 1863).

[Lamb, Charles and Mary], *Mrs Leicester's School: The History of Several Young Ladies Related by Themselves* (London, [n.d.]).

————, *The Letters of Charles and Mary Lamb,* ed. by Edwin W. Marrs, Jr., 3 vols (Ithaca, 1975-78).

Foxe, John, *The Book of Martyrs* (London, 1563).

———, *Facsimile of John Foxe's Book of Martyrs: 1583 Acts and Monuments of Matters Most Speciall and Memorable* (Oxford, 2001).

Gatty, Margaret, *The Fairy Godmothers and Other Takes* (London, 1851).

German Popular Stories, Translated [by Edgar Taylor] from the Kinder und Hausmärchen, Collected by M. M. Grimm, from Oral Tradition, 2 vols (London, 1823, 26); later edn in one vol with an Introduction by John Ruskin (London, 1907). (『改訳グリム童話集』全7冊，金田鬼一訳，岩波文庫，1975).

The Girl's Own Paper (1880-1965).

[Godwin, William], *A Continuation of the Moving Adventures of Old Dame Trot and her Comical Cat,* Juvenile Library (London, 1806).

Goldsmith, J, *An Easy Grammar of Geography. Intended as a Companion and Introduction to the Geography on a Popular Plan for Schools and Young Persons* (London, 1805).

Goldsmith, Oliver, *The Vicar of Wakefield* (London, 1766; repr. 1979).

Greenaway, Kate, *Under the Window* (London, 1878).

Grey, Sydney, *Bob Wynter's Folly* (London, [1895]).

———, *The Golden Street; or, The Fisherman's Orphans* (London, [1886]).

———, *The Runaways* (London, [1911]).

———, *Story-Land* (London, [1884]).

Guardian of Education, 5 vols (London, 1802-06).

[Anon.], *The Happy Courtship, Merry Marriage, and Pic Nic Dinner, of Cock Robin, and Jenny Wren* (London,1806).

H., R.,*The History of Genesis* (London, 1690).

Hardy, Thomas, *The Mayor of Casterbridge: The Life and Death of a Man of Character,* 2 vols (London, 1886).

[Harris, John], *The Comic Adventures of Old Dame Trot, and her Cat,* Cabinet of Amusement and Instruction (London, 1819).

———, *The Comic Adventures of Old Mother Hubbard, and her Dog,* Cabinet of Amusement and Instruction (London, 1819).

———, *A Continuation of the Moving Adventures of Old Dame Trot, and her Comical Cat* (London,1806).

———, *The Dog of Knowledge, or the Memoirs of Bob the Spotted Terrier* (London, 1801).

———, *The First Part of Dame Trot, and her Comical Cat, a New and*

Defoe, Daniel, *The Life and Strange Surprising Adventures of Robinson Crusoe, of York, Mariner* (London, 1719).

[Darton, William], *Continuation of the Moving Adventures of Old Dame Trot, and her Comical Cat* (London, 1806).

———, *The Moving Adventures of Old Dame Trot and her Comical Cat* (London, 1807).

Demers, Patricia and Gordon Moyles, eds, *From Instruction to Delight: An Anthology of Children's Literature to 1850* (Toronto, 1982).

Dibdin, Thomas *Harlequin and Mother Goose; or, The Golden Egg!* (London, [*c.*1807]).

Dickens, Charles, *Bleak House* (Oxford,1948)（C・ディケンズ『荒涼館』全4巻，青木雄造，小池滋訳，ちくま文庫，1989）.

———, 'A Christmas Tree', in *Christmas Stories* (Oxford, 1956), pp. 1-8.

———, 'Frauds on the Fairies', *Household Words* (1 October 1853).

———, *The Letters of Charles Dickens,* 11 vols (Oxford, 1965－99).

———, *Great Expectations* (Oxford, 1953)（ディケンズ『大いなる遺産』上下，山西英一訳，新潮文庫，1989）.

———, *Little Dorrit* (Oxford,1953)（C・ディケンズ『リトル・ドリット』全4巻，小池滋訳，ちくま文庫，1991）.

———, *Oliver Twist* (London, 1838).

———, *The Personal History of David Copperfield* (Oxford,1948)（ディケンズ『デイヴィッド・コパフィールド』全4冊，中野好夫訳，新潮文庫，1989）.

———, *Sketches by Boz* (London, 1836).

[Anon.], *The Elements of Geography* (London, [*c.* 1820]).

[Evans, T.], *Old Dame Trot, and her Comical Cat* (London, 1803).

[Anon.], *Fairy Stories: An All-Colour Picture Book* (London, [1955]).

Farningham, Marianne, *A Working Woman's Life: An Autobiography* (London, 1907).

[Fenn, Lady Eleanor], *Cobwebs to Catch Flies* (London, [*c.* 1783]).

Fielding, Henry, *Tom Jones* (London, 1749).

[Fielding, Sarah], *The Governess; or, Little Female Academy. Being the History of Mrs. Teachum, and her Nine Girls. With their Nine Days Amusement* (London, 1749).

The Folk-Lore Record, 5 vols (London, 1878-82).

Fontaine, Nicolas,*The History of the Old Testament,* 2 vols (London, 1688, 90).

Carey, William, *An Enquiry into the Obligations of Christians to Use Means for Conversion of the Heathens* (London, 1792).
Carroll, Lewis, *Alice's Adventures in Wonderland* (London, 1865)（ルイス・キャロル『不思議の国のアリス』脇明子訳，岩波少年文庫，2000）.
[Catnack, James], *Jumping Joan* (London, [n.d.]).
———, *Old Mother Hubbard and her Wonderful Dog* (London, [*c.* 1800]).
Chatelain, Mme [Clara de], *Merry Tales for Little Folk* (London, 1868).
Chear, Abraham, *A Looking-Glass for Children; Being a Narrative of God's Gracious Dealings with Some Little Children* (London, 1673).
[Anon.], *The Childrens Bible; or, An History of the Holy Scriptures* (London, 1763).
The Children's Friend, 186 (1876).
The Child's Companion; or, Sunday Scholar's Reward (1824-1932).
[Harris, John], *A Continuation of the Moving Adventures of Old Dame Trot, and her Comical Cat* (London,1806).
[Anon.], *Continuation of the Moving Adventures of Old Dame Trot, and her Comical Cat* (London, (1806).
Craik, Mrs [Dinah Maria], *The Fairy Book: The Best Popular Fairy Stories Selected and Rendered Anew* (London, 1863).
Crane, Walter, *Goody Two-Shoes* (London, 1874).
Crouch, Nathaniel], *Youths Divine Pastime. Containing Forty Remarkable Scripture Histories* (London, 1691).
Cruikshank, George, *Cinderella and the Glass Slipper* (London, 1854).
———, *The Fairy Library Series*, and other titles (New York, 1978).
———, *George Cruikshank's Fairy Library*, a bound volume of five stories (London, [1865]).
———, *Hop-O'My-Thumb and the Seven-League Boots* (London, 1853).
———, *Jack and the Beanstalk* (London, 1854).
———, 'A Letter from Hop-o' My-Thumb to Charles Dickens, Esq.', *George Cruikshank's Magazine* (February 1864).
———, 'To Parents, and Guardians, and All Persons Intrusted with the Care of Children', in *Puss in Boots*.
———, *Puss in Boots* (London, 1864).
[Anon.], *Dame Wiggins of Lee and her Seven Wonderful Cats* (London, 1823).
[Anon.], *Dame Wiggins of Lee, and her Seven Wonderful Cats*, ed. by John Ruskin, and illustrations by Kate Greenaway (London, 1885).

参考文献

第1次資料

An Account of Charity-Schools in Great Britain and Ireland, 11th edn (London, 1712).

A Compendious History of the Old and New Testament, Extracted from the Holy Bible, 3rd edn (London, 1735; 1st edn, 1726).

Allen, W. O. B. and Edmund McClure, *Two Hundred Years: The History of the Society for Promoting Christian Knowledge, 1698-1898* (London, 1898).

Andersen, H. C., *Wonderful Stories for Children: Translated from the Danish by Mary Howitt* (London, 1846).

Arnold, Arnold, *Pictures and Stories from Forgotten Children's Books* (New York, 1969).

B[arbauld], A[nna] L[aetitia], *Hymns in Prose for Children* (London, 1781).

Barbauld, Mrs [Anna Letitia], *Lessons for Children* (1778).

———, *Hymns in Prose for Children* (London, 1865).

Basile, Giovanni Battista, *The Pentamerone, or The Story of Stories, Fun for the Little Ones, Translated from Neapolitan by John Edward Taylor* (London, 1848).

Belson, Mary, *The Adventures of Thomas Two-Shoes: Being a Sequel to that of 'The Modern Goody Two-Shoes'* (London, 1818).

[Belson, Mary (Mary Elliott)], *The Modern Goody Two-Shoes; Exemplifying the Good Consequences of Early Attention to Learning and Virtue* (London, 1815).

———, *The Orphan Boy or, A Journey to Bath* (London, 1812).

The Boy's Own Paper (1879-1967).

Bradstreet, Anne, *The Works of Anne Bradstreet*, ed. by Jeannine Hensley (Cambridge, Massachusetts, 1967).

Browne, Frances, *Granny's Wonderful Chair, and its Tales of Fairy Times* (London, 1857).

Burder, George, *Early Piety or Memoirs of Children Eminently Serious* (London, [1776]).

ワ 行

マ 行

ラ 行

ナ 行

ハ 行

サ 行

タ 行

人名索引

ア行

カ行

鶴見良次（つるみ・りょうじ）
筑波大学大学院博士課程文芸・言語研究科単位取得満期退学．ケンブリッジ大学ダーウィン・カレッジ客員研究員などを経て，現在，成城大学文芸学部英文学科教授．博士（文学）．英語・イギリス文学専攻．著書に『マザー・グースとイギリス近代』（岩波書店，日本児童文学学会特別賞），『イギリス近代の英語教科書』（開拓社），『世界・日本 児童文学登場人物辞典』（項目執筆，玉川大学出版部），*The Cambridge Guide to Children's Books in English*（項目執筆，Cambridge University Press）ほか．

イギリスの忘れられた子供の本

検印省略

2023年12月21日　初版第1刷発行

著　者　鶴見　良次

発行者　小川　洋一郎

発行所　株式会社 朝日出版社
〒101-0065　東京都千代田区西神田 3-3-5
TEL (03)3263-3321（代表）
FAX (03)5226-9599

印刷所　図書印刷株式会社

乱丁、落丁本はお取り替えいたします

ISBN978-4-255-01358-9 C0098